La memoria

1012

## DELLO STESSO AUTORE

*La stagione della caccia*
*Il birraio di Preston*
*Un filo di fumo*
*La bolla di componenda*
*La strage dimenticata*
*Il gioco della mosca*
*La concessione del telefono*
*Il corso delle cose*
*Il re di Girgenti*
*La presa di Macallè*
*Privo di titolo*
*Le pecore e il pastore*
*Maruzza Musumeci*
*Il casellante*
*Il sonaglio*
*La rizzagliata*
*Il nipote del Negus*
*Gran Circo Taddei e altre storie di Vigàta*
*La setta degli angeli*
*La Regina di Pomerania e altre storie di Vigàta*
*La rivoluzione della luna*
*La banda Sacco*
*Inseguendo un'ombra*
*Il quadro delle meraviglie*

## LE INDAGINI DEL COMMISSARIO MONTALBANO

*La forma dell'acqua*
*Il cane di terracotta*
*Il ladro di merendine*
*La voce del violino*
*La gita a Tindari*
*L'odore della notte*
*Il giro di boa*
*La pazienza del ragno*
*La luna di carta*
*La vampa d'agosto*
*Le ali della sfinge*
*La pista di sabbia*
*Il campo del vasaio*
*L'età del dubbio*
*La danza del gabbiano*
*La caccia al tesoro*
*Il sorriso di Angelica*
*Il gioco degli specchi*
*Una lama di luce*
*Una voce di notte*
*Un covo di vipere*
*La piramide di fango*
*Morte in mare aperto e altre indagini del giovane Montalbano*
*La giostra degli scambi*

Andrea Camilleri

# Le vichinghe volanti

## e altre storie d'amore a Vigàta

Sellerio editore
Palermo

*e-mail: info@sellerio.it*
*www.sellerio.it*

*2015 novembre seconda edizione*

Questo volume è stato stampato su carta Palatina prodotta dalle Cartiere di Fabriano con materie prime provenienti da gestione forestale sostenibile.

Camilleri, Andrea <1925>

Le vichinghe volanti e altre storie d'amore a Vigàta / Andrea Camilleri. - Palermo: Sellerio, 2015.
(La memoria ; 1012)
EAN 978-88-389-3417-9
853.914 CDD-22

CIP - *Biblioteca centrale della Regione siciliana «Alberto Bombace»*

# Le vichinghe volanti

## e altre storie d'amore a Vigàta

# Il terremoto del '38

# Uno

Al munno, è cosa cognita, ponno capitare tanto le catastrofi naturali, che sarebbiro pri sempio il tirrimoto, l'alluvioni o la timpesta che sradica l'àrboli e fa cadiri le case, quanto le catastrofi provocate dall'omo, che sarebbiro pri sempio i bummardamenti a tappito, la rottura di 'na diga, l'incendio di 'na foresta o l'esplosioni del gas che fa crollari 'n intero palazzo e via di 'sto passo.

Il malo vero di tutte e dù le catagorie è che, 'na vota che sunno capitate, non sunno finute, in quanto che continuano lo stisso a fari danno a longo nell'anni appresso, sia pirchì ponno moriri pirsone care provocanno lutti amari difficili da scordari, sia pirchì ci si è vinuti a trovari all'improviso senza un tetto, sia pirchì si può perdiri ogni cosa, dai vistiti al travaglio e sia per tante autre raggiuni.

La catastrofi provocata dall'omo che cchiù a longo vinni arricordata dai vigatisi fu il primo granni bummardamento fatto dai miricani a mità del misi d'austo del 1942.

Veramenti veramenti non si dovrebbi acchiamare catastrofi in quanto le bumme miricane affunnaro 'na varcuzza, ammazzaro a un cani randagio, ficiro quattro pirtusa nel basolato della banchina portuali e abbattero la facciata di un villino. Nisciun morto, nisciun firuto. Se i vigatisi si ficiro pirsuasi che era stata 'na catastrofi non fu dunqui per i danni matiriali. E allura pirchì? Forsi è beni principiari dal comincio.

All'ebica era Fidirali di Montelusa, vali a diri la massima carrica politica, un quarantacinchino che di nomi faciva Raniero Mazzacan, squatrista e marcia su Roma, filetto rosso supra alla manica della divisa che viniva a essiri il simbolo «del sangue versato e fatto versare per la causa della Rivoluzione fascista».

Alla luntana, aviva un minimo di simiglianza con Mussolini, e lui faciva di tutto per aumintarla, però gli ammancavano la masciddra quatrata e la taliata volitiva.

'N compenso, tutti e dù avivano teste accussì lucite che parivano palle di bigliardo.

Era un fissato contro l'accaparratori di generi limintari, li chiamava «sciacalli» e annava proclamanno a dritta e a manca che dovivano essiri mittuti al muro e fucilati. Firriava per tutti i paìsi della provincia proclamanno che gli 'nglisi, essenno il popolo dei cinque pasti, erano distinati a perdiri la guerra contro all'italiani che di pasti ne facivano sì e no dù al jorno, e per junta scarsi, pirchì non erano appisantiti dal troppo mangiari.

«È lo spirito che conta, non lo stomaco!» concludiva.

E per dari l'esempio, quanno stava nella sò casa e la jornata era bona, mangiava con la mogliere e i tri figli con la tavola conzata 'n tirrazzo, 'n modo che i vicini di casa potivano testimoniari quant'erano spartani i pasti che faciva. Tanticchia di pasta o di riso, un secunno di pisci (carni sulo 'na vota a simana), dù patatuzze, un frutto di stascioni e ti saluto e sono. A sira, 'na ministrina, 'na striscia di cacio e bonanotti.

Per i misi di stati si era affittato un villino a dù piani a Vigàta, propio a ripa di mari, e ci si trasfiriva, pirchì a lui piacivano le longhe rimate 'n sandolino, macari di notti.

Tra parentesi, i fratelli Pippino e Giurlanno Garlazzo se la scapolaro per un pilo 'na notti che stavano tornanno a ripa con la varca carrica di sacchi di farina da rivinniri al mercato nero.

C'era 'na gran luna che faciva squasi jorno e, mentri che rimavano, Pippino dissi a voci vascia a sò frati:

«Fermo! Talia ddrà!».

Giurlanno taliò. Un faro a pilo d'acqua corriva viloci verso di loro, in rotta di collisioni.

«Minchia! La Finanza! Scappamo!» fici Giurlanno.

E si misiro a rimari alla dispirata 'n senso contrario. Po', quanno si sintero al sicuro, mentri il faro s'addiriggiva oramà verso la ripa, Pippino pigliò il binocolo.

Non era un faro, era il riflesso della luci della luna supra alla testa a palla di bigliardo del Fidirali.

Il bummardamento miricano capitò alle deci del matino e siccome che era 'na jornata di grannissimo càvudo, manco si potiva respirari, la pilaja era affollata di bagnanti.

Arrivaro 'sti tri rioplani e, 'n mezzo al foco della contraerea, scarricarono alla sanfasò 'na trentina di bumme supra al porto.

Uno dei tri rioplani però, mentri si nni tornava verso il mari aperto da indove era vinuto, sganciò l'urtima bumma che annò a pigliari propio il villino affittato dal Fidirali.

Non ammazzò a nisciuno, pirchì quel jorno tutti i Mazzacan si nni erano acchianati a Montelusa, e manco abbattì il fabbricato. La bumma si portò via la facciata intera del villino, sicché le càmmare parsero di colpo essiri addivintate pricise 'ntifiche a scinografie di teatro. A pianoterra c'era la scinografia del saloni d'arriciviri, della cucina e della càmmara di mangiari, al primo piano le scinografie delle càmmare di dormiri, al secunno piano le scinografie dello studdio del Fidirali, di 'na càmmara per l'ospiti e di 'n'autra càmmara il cui uso i bagnanti, che passato lo scanto erano corruti a vidiri, in prima non accapero.

Quella càmmara arricordava in qualichi modo il magnifico nigozio di generi limintari che don Savatori Sghembri aviva a Vigàta prima della guerra, quanno non ammancava nenti.

Decine e decine di salami, prosciutti e mortatelle pinnuliavano dal soffitto che pariva 'na foresta, supra a un ripiano di ligno ci stavano una supra all'autra forme di cacio a tinchitè, supra a 'n autro ripiano 'nveci ci stavano chilate e chilate di pasta di tutti i tipi, spachetti, cannelloni, bucatini, capilli d'angilo, tutte 'ncartate di blu e di giallo, e po' sacchi di farina, di favi, di riso...

La genti ristò 'mparpagliata a taliare. Non si capacitava di quello che vidiva. Po' 'na voci gridò:

«Robba di mangiari è!».

Turiddru Nicotra, un vintino che non aviva potuto fari il militari pirchì era orbo da un occhio, s'arrampicò lesto supra alla muntagneddra di macerie che arrivavano al primo piano e da lì arringò i bagnanti:

«'Sto grannissimo cornuto del Fidirali! Taliate quanta robba si tiniva ammucciata! E se la pigliava coll'accaparratori, lui, che era 'u primo accaparratore! Davanti a nuautri mangiava pani e cicoria e po', dintra a la sò casa, si inchiva la panza!».

Non s'arriniscì ad accapiri come fici, ma, finuto di parlari, s'arrampicò come 'na scimia fino al secunno piano dritto nella càmmara stipata di cose da mangiari e accomenzò a ghittari ai bagnanti sottostanti mortatelle, caci, pasta, farina, fino a quanno la càmmara ristò completamenti sbacantata.

Nel doppopranzo un ducento pirsone s'arradunaro in piazza e si misiro a fari voci contro il fascio e contro a Mussolini. La polizia e le cammise nìvure stimaro che era meglio non farisi vidiri.

'N sirata, vinni dato foco alla sedi del partito fascista di Vigàta.

Il jorno appresso si vinni a sapiri che il Fidirali Mazzacan era stato chiamato a Roma e non tornò cchiù.

Il novo Fidirali arrivò tri misi appresso, ma non ebbi mai il coraggio di viniri a Vigàta.

Ecco, quel bummardamento fu 'na catastrofi per il fascismo locali.

Ma quattro anni avanti, e pricisamenti il 30 di luglio di l'anno 1938, c'era stata 'n'autra catastrofi, in principio criduta naturali, vali a diri un tirrimoto.

Per quanto Vigàta fusse un paìsi addichiarato nelle carti a rischio sismico, i tirrimoti, sempri di scarsa potenza, che s'arricordavano a mimoria d'omo si potivano contari supra alle dita di 'na mano.

L'urtimo c'era stato nel 1861, quanno il primo Prefetto dell'Italia unita, Falconcini, era appena sbarcato dal papore che viniva da Palermo. La scossa aviva fatto scappari a tutto il comitato d'accoglienza, banna municipali, drappello armato, autorità e semprici curiosi, e non era stata 'ntippitrata come di bono agurio.

'Nfatti Falconcini doppo manco sei misi si nni dovitti scappari dalla Sicilia avenno fatto cchiù danno di 'na guerra persa.

Come le vote passate, macari il tirrimoto del '38 non fici danno ai fabbricati, nenti, non si lesionò un muro né cadì un sulo cornicioni.

Il finomino vinni avvirtuto per l'abballìo dei mobili, per le porti che si raprivano da sule, per i lampatari che si dunduliavano. E per una speci di rumorata cupa e minazzosa che si sintiva viniri da lontano.

E siccome che la prima scossa capitò alli tri e vinti di notti, tutti i vigatisi s'arrisbigliaro di colpo e si misiro a fari voci:

«'U tirrimoto! 'U tirrimoto!».

Successi il virivirì.

Ma la cosa che fici nasciri il panico fu che le campane della chiesa si misiro a sonari a morto. Il campanaro non c'era, sonavano da sule per via dello scotimento della terra. E la cosa naturalmenti faciva cchiù 'mpressioni.

I cchiù lesti allura s'apprecipitaro fora dalle case accussì come s'attrovavano, i mascoli 'n mutanne, le fìmmine 'n fodetta e tutti s'addiriggero priganno, santianno, ammuttanno, cadenno, susennosi, verso il Piano Lanterna indove che non sorgivano case.

'N testa a tutti corriva come un lepro 'u parroco, a pedi nudi, 'n mutanne longhe di lana e maglia a girocollo, con un crocifisso 'n mano, che annava gridanno:

«Pintitivi! Pintitivi! È ghiunto 'u giudizzio niversali!».

Ad autri, prima d'arrivari a nesciri fora, capitaro 'na poco di cose contrarie.

Pri sempio, Agatina Piccolo, che era considerata la picciotta cchiù beddra del paìsi, s'arrefutò di farisi vidiri strate strate spittinata e addrumò la spiritera mittennoci supra il ferro per farisi i ricci.

Sò matre 'Ngilina, che pariva nisciuta pazza per lo scanto, alla secunna scossa che vinni cinco minuti doppo la prima, tirò la figlia per un vrazzo per strascinarla verso la porta, ma la spiritera s'arrovisciò e l'alcol detti foco alla cammisa da notti della picciotta la quali 'mmidiata si la livò ristanno nuda e corrì nel pianerottolo 'nzemmula alla matre.

In quel priciso momento, si raprì la porta dell'appartamento di 'n facci e comparse il raggiuneri Arturo Midolo 'n mutanne. Al raggiuneri, che era un trentino scapolo e spasimava per Agatina, passanno nuttate vigliante a 'mmaginarisilla nuda tra le sò vrazza, a vidirisilla pricisa com'era nella sò 'mmaginazioni, ci vinni un sintòmo subitaneo.

Crollò 'n terra come un sacco vacante e lì ristò, dato che le dù fìmmine non gli potivano dari adenzia.

Don Petro Agliotta, il cchiù ricco del paìsi, addicidì che non potiva lassari 'n casa né i gioielli né il dinaro liquito che possidiva. Chiamò a sò mogliere Nunziata e le dissi di pigliari la baligia indove aviva 'ntinzioni di mettiri quello che si voliva portari. Dato che la baligia stava supra all'armuàr, Nunziata pigliò 'na seggia e ci acchianò. Ma siccome che in quel priciso momento arrivò la secunna scossa, sciddricò e cadì 'n terra rompennosi 'na gamma. Allura don Petro, senza dare 'na mano d'aiuto alla mogliere, pigliò la baligia, la inchì e si nni niscì fora. Ma si vidi che non l'aviva chiuiuta bona per la prescia. 'Nfatti, quanno arrivò macari lui al Piano Lanterna, s'addunò d'aviri perso tutto il dinaro liquito in biglietti da milli che era sciddricato fora da 'na fissura.

La famiglia Butticè 'nveci era vigliante. Sia il perito agrario Nicola, sia la mogliere Amalia, sia il figlio vintino Carmelo, sia la figlia diciottina Maria, erano tutti nella càmmara di letto del nonno novantino Cosimo, gravimenti malato, del quali il medico aviva ditto che non avrebbi viduto la luci del jorno.

Alla prima scossa, i Butticè si taliaro nell'occhi. 'N silenzio, sempri taliannosi, convennero che non era il caso di scapparisinni abbannunanno il moribunno.

Alla secunna scossa, Nicola Butticè dissi a voci vascia alla mogliere:

«Ma quanno si dicidi a moriri 'sta gran camurria?».

E ccà capitò 'u miracolo.

'Nfatti, mentri l'eco della secunna scossa s'allontanava, il novantino si susì a mezzo del letto, sbarracò l'occhi, puntò l'indici contro a sò nipoti Nicola e gridò:

«Tutto sintii, grannissimo cornuto! E ora ti diseredo! A tutti diseredo!».

E allura i Butticè si ghittaro 'n ginocchio torno torno al letto, sostenenno che aviva 'ntiso mali, che sarebbiro restati con lui macari se la casa ruinava.

Ma il nonno non sintiva raggiuni:

«Fora da la mè casa!».

E accussì, alla terza scossa, i Butticè si nni scapparo al Piano Lanterna.

# Due

Il tirrimoto, che fu 'na cosa longa, ci foro 'nfatti ben deci scossi una a ogni cinco minuti pricisi, pariva che aviva mittuto il ralogio, 'ncaniò 'n modo particolari supra al vecchio Palazzo Fulconis, che continuava ad acchiamarisi accussì a malgrado che i Fulconis, 'na vota granni propietari di mineri, erano falluti, si erano trasferuti a Palermo da gran tempo e il palazzo se l'erano vinnuti a don Alessio Ginex che faciva il comercianti di ciciri e favi all'ingrosso ma che era addivintato ricco sfunnato per via dell'eredità lassatagli da sò frati Amerigo, morto sparato a Chicago duranti uno scontro a foco tra dù bande di gangestri al tempo che negli Stati era proibuto vinniri whisky.

Ma va subito pricisato, a onori del vero, che il tirrimoto il danno non lo fici al fabbricato, che ristò 'ntatto, ma a tutte le famiglie che nel fabbricato bitavano.

All'ebica che era dei Fulconis, nel palazzo ci stavano sulo i propietari e la sirvitù, po' don Alessio, quanno che ne trasì 'n posesso, ci fici fari granni travagli e 'na scala 'nterna, per cui ognuno dei quattro piani addivintò un appartamento a sé stanti bono da affittari.

Al momento del tirrimoto, al pianoterra ci stava don Alessio Ginex con la sò famiglia, al primo i Giallombardo, al secunno i Cottone, al terzo i Pignataro e al quarto i Sorrentino.

Erano tutti genti bonostanti che si potivano pirmittiri il lusso di pagari un affitto àvuto.

Il sissantino don Alessio Ginex ci bitava con la mogliere Rosalia e le tri figlie fìmmine, la trentina Rosetta, la vintottina Filippa e la vinticinchina Giacomina, nisciuna delle quali era mai stata zita o maritata, non pirchì non fussero graziuse, anzi erano chiossà che graziuse, ma pirchì don Alessio aviva sempri tinuto alla larga i pritinnenti essenno giluso pazzo delle figlie chiossà che della mogliere.

La famiglia Giallombardo era composta dal sittantino Michele, da sò mogliere Assunta, dal figlio Orazio, da sò mogliere Luicina e dalla loro unica figlia vintina Lisa, di rara biddrizza, che era stata fatta fari zita dai sò genitori con il raggiuneri Arturo Attanasio il quali però bitava quattro strate appresso.

La famiglia Cottone inutili stari a diri ccà da quante e quali pirsone era fatta pirchì la notti del tirrimoto non attrovavasi a Vigàta, ma a Misilmeri, paìsi indove che la matre della signura Cottone era morta il jorno avanti all'improviso.

Siccome che erano dovuti partiri di grannissima prescia, la signura Cottone aviva lassato le chiavi dell'appartamento alla signura Pignataro che bitava al piano supra al sò pirchì raprisse la porta alla cammarera che viniva a puliziare.

La famiglia Pignataro era composta dal raggiuneri Oreste, da sò mogliere Catena, dal figlio mascolo vinticinchino Paolo e dalla figlia fìmmina vintina Matilde. Paolo aviva 'na zita predestinata da quanno aviva quattro anni, la ricca cuscina Saveria che stava a Montelusa. Ricca, ma nana, baffuta e con le gamme ad arco di ponti.

I Sorrentino si componivano del capofamiglia Agazio, della mogliere Teresa e da quattro coppie di figli gemelli, la cchiù granni delle quali aviva dodici anni.

Donchi, a stari a quanto dicivano i nummari, la notti del tirrimoto avrebbiro dovuto attrovarisi cinco pirsone al pianoterra, cinco al primo, nisciuno al secunno, quattro al terzo e deci al quarto.

In tutto vintiquattro pirsone, si la matematica non è 'na pinioni, tra mascoli e fìmmine, vecchi, picciotti e picciliddri.

'Nveci, come si vinni a sapiri appresso, al momento della prima scossa, al pianoterra c'erano nove pirsone, quattro al primo, dù al secunno indove non avrebbi dovuto attrovarisi nisciuno, tri al terzo e novi al quarto.

In tutto vintisetti pirsone.

Ma per accapire come annò che i conti non tornavano, abbisogna fari qualichi passo narrè.

Accomenzamo dal pianoterra.

Della gilusia di don Alessio per le tri figlie fìmmine tutto il paìsi ne sparlava e ne arridiva.

Mai le faciva nesciri sule da casa, se non erano accompagnate da lui stisso o da sò mogliere nenti da fari e quanno s'attrovavano fora per nisciuna raggiuni al munno dovivano isare l'occhi dal basolato della strata.

Mai arrispunniri alle scappillate maschili, mai sorridiri, mai firmarisi a parlari con un'amica. Era proibito che niscissiro fora nei balconi. Le persiani delle finestri delle loro tri càmmare di letto dovivano essiri raprute sulo di picca centilimetri in modo che le figlie non potissiro affacciarisi, il limiti d'apertura era stato signato con un gessetto supra al davanzali da don Alessio, metro alla mano.

Non era ammesso in casa nisciun fornitore mascolo. Don Alessio si quartiava macari dai parrini di la chiesa e 'na vota che aviva per caso scopruto che sò figlia Rosetta s'era confissata col quarantino patre Cannata 'nveci che coll'ottantino patre Incardona, che oltretutto era surdo completo e dava sempri la stissa pinitenza sia per un omicidio sia per il furto di un arancio, aviva fatto succediri il quarantotto.

«Ma patre Cannata è un santomo!» aviva tintato di protistari donna Rosalia.

«Sempri mascolo è!» aviva ribattuto duro don Alessio.

«E patre Incardona non è macari lui mascolo?».

«Vero è, ma il quarantino è funzionanti mentri l'autro no!» era stata la risposta.

Certo, le tri soro erano certe che un jorno avrebbiro attrovato finalmenti marito, macari quanno sarebbiro addivintate anziane, date le gran ricchizze che avrebbiro ereditate alla morti del patre. Ma don Alessio godiva di 'na saluti di ferro, mai un jorno di letto, mai 'na linia di fevri, e intanto le sò tri poviri figlie passavano l'anni e si annavano pirdenno il meglio della gioventù.

E 'nfatti in quella casa, almeno fino a dù anni avanti il tirrimoto, non si era mai sintuta 'na voci di picciotta cantari o quanto meno farisi 'na liggera risateddra.

Po' 'nveci, 'na matina, Giacomina si misi a cantari mentri che si stava conzanno il letto, e appresso a lei cantaro Filippa e Rosetta.

Cantavano a vascia voci, naturalmenti, pirchì non si sintissi di fora, ma cantavano. E le vecchie mura della casa parivano perdiri a picca a picca la muffa, le crepi, i signi del tempo.

Don Alessio manco ci fici caso, ma la signura Rosalia, la matre, sì. E ringraziò 'u Signuruzzu per la filicità arrivata all'improviso alle figlie, senza volirisi addimannari che cosa potiva essiri capitato e in che consistiva, per loro, la filicità.

Era successo che nel misi d'austo di dù anni avanti tutto il Palazzo Fulconis, dal tetto alle mura esterne, aviva dovuto essiri rimittuto a posto in seguito ai danni provocati da un furioso timporali stivo che si era macari approfittato del fatto che da 'na vintina e passa d'anni don Alessio, che era tanticchia tirato, non aviva cacciato un cintesimo ch'era un cintesimo per tiniri in ordini il fabbricato.

Vinni chiamata 'na squatra di muratori composta da tri trentini, Arelio, Giugiù e Sasà, e da un capomastro anziano, Sabatino.

Naturalmenti accomenzaro a travagliare da supra al tetto, che era stato 'n parti scopirchiato, doppo aviri costruito 'na 'mpalcatura di ligno che da terra arrivava fino a oltri il quarto piano.

Il primo jorno di travaglio, Sabatino, Arelio e Giugiù si nni acchianaro supra al tetto, mentri Sasà ristò sutta per abbadare a scarricare i canali vecchi e romputi dal canistro che viniva calato dall'àvuto e inchirlo di canali novi.

Siccome c'era càvudo assà assà, persino i cani non caminavano e si nni stavano all'ùmmira con la lingua di fora, Sasà si misi a travagliare a petto nudo.

Era un gran beddro picciotto, come del resto lo erano Giugiù e Arelio, e tutti e tri non erano ancora maritati.

Lui non lo sapiva che s'attrovava a tri metri dalla finestra della càmmara di letto di Rosetta Ginex in quanto che la persiana era aperta sì, ma troppo picca per potiri vidiri dintra.

'Nveci Rosetta, non viduta, potiva taliare fora.

E 'nfatti taliava e taliava, arricriannosi tutta a quella viduta di carni giovani, senza arrinesciri a livari l'occhi da quel picciotto biunno, forti, mascolo dalla cima dei capilli fino alla punta dei pedi, lungo la cui muscolatura del petto e delle vrazza le gucci di sudori parivano sbrilluccicare come petre priziose.

Era 'n fodetta, Rosetta, e talianno sudava, e sudanno sintiva aumintari il calori dintra di lei e dintra alla càmmara, tanto che a un certo momento non ce la fici cchiù, si livò la fodetta ristanno in reggipetto e mutanne, po' tutto 'nzemmula si sintì sbiniri, la càmmara torno torno si misi a firriare, ebbi un mancamento e per non cadiri 'n terra s'affirrò alla persiana con tutte e dù le mano, ma sbagliò movimento e la spalancò, mentri cadiva agginocchiata.

Sasà alla rumorata della finestra che si rapriva di colpo taliò ed ebbi il tempo di vidiri 'na beddra fìmmina in reggipetto che scomparse in un attimo.

Giustamenti pinsanno che non si era sintuta bona, d'un sàvuto scavalcò il davanzali e trasì.

Rosetta lo vitti prima confusamenti, po', appena che l'ebbi mittuto a foco, s'aggrampò ai sò pantaluna per susirisi, e appresso, non capenno cchiù nenti, sintennosi 'mbriacari dall'odori del sudori del picciotto, l'abbrazzò stritto stritto.

Si vasaro.

Si lassaro, taliannosi occhi nell'occhi.

Tornaro a vasarisi.

«Sasà!» chiamò Sabatino dal tetto.

«Stanotti vegno a tuppiare alla tò finestra» dissi Sasà mentri risavutava il davanzali.

E quella notti Rosetta raprì la finestra.

Arriniscì a malappena a tiniri il sigreto sulo per dù notti, po' confissò tutto alle sò soro.

Tri jorni appresso il turno di travaglio cangiò e stavota 'n terra ristò Giugiù. E siccome che 'na parti del tetto era fatta, il canistro venne calato da tanticchia cchiù avanti, in corrisponnenzia pricisa della finestra della càmmara di dormiri di Filippa.

Sulo che Giugiù era di caratteri diverso di Sasà. Nìvuro di capilli, focoso, non stetti a perdiri tempo.

Lo stisso primo jorno s'avvicinò alla persiana accostata e dissi:

«Lo saccio che tu stai ccà darrè. Sento 'u tò sciauro».

E si nni tornò a travagliare. Si riavvicinò doppo cinco minuti.

«Mi la fai vidiri la tò mano?».

Aspittò tanticchia e doppo comparse quatelosa la mano bianca bianca di Filippa.

Giugiù la pigliò, la vasò e se la passò tra i pili del petto, vagnannola di sudori. Po' la rivasò, la lassò e tornò al travaglio. Si riapprisintò doppo deci minuti.

«Me la ridai la tò beddra mano?».

Stavota la mano niscì fora di slancio. Giugiù la pigliò e se la portò cchiù in vascio della panza. Al primo contatto la mano trimò, ma ristò.

Quella notti stissa Giugiù annò a tuppiare alla finestra di Filippa.

Dù notti appresso, Sasà e Giugiù trasero 'nzemmula nella càmmara di Rosetta.

«Che è 'sta novità?» spiò quella 'mparpagliata.

«Va a chiamari a tò soro Filippa» ficiro squasi 'n coro Sasà e Giugiù.

Quanno Filippa arrivò, i dù muratori dissiro che la cosa che stavano facenno non era giusta.

«Ma se non aviti da dari conto e raggiuni a nisciuno...» fici Filippa.

«Vero è» dissi Sasà. «Non avemo da dari conto a nisciuno. Ma non ci pari giusto che né il nostro compagno Arelio né vostra soro Giacomina si nni debbano ristari a vucca asciutta».

Le dù soro si taliaro.

«Sintemo chi nni dici lei» proponì Rosetta.

Quanno sintì qual era il problema, Giacomina prima arrussicò, era da tempo che spirava nel miracolo di non passari cchiù macari lei nuttate solitarie, po' addimannò:

«E se m'arrefuto?».

«Se tu t'arrefuti» dissi Rosetta «Gegè e Sasà non se la sentino di continuari».

«Allura mi sacrifico per voi, soruzze mie!» sclamò Giacomina.

Sasà s'apprecipitò alla finestra e dissi a voci vascia:

«Arè, veni. Tutto a posto».

Ecco spiegato come...

# Tre

Sì, lo so, macari assommanno a Giugiù, Arelio e Sasà, le pirsone al pianoterra addiventano otto e non novi come è scrivuto.

Il conto perciò non vi torna. Che ci sia stato un errori di craccolo? No, nisciun errori di craccolo.

Ma è meglio che la storia di come e pirchì 'sta nona pirsona si vinni ad attrovare dintra all'appartamento del pianoterra sia contata doppo quelle di coloro che liggittimamenti ci bitavano.

E passamo al primo piano indove bitavano i Giallombardo.

Chi l'aviva affittato era il sittantino Michele che era stato macari lui grosso comercianti 'ntirnazionali, ma di sùrfaro, e che da quanno si era arritirato dall'affari pirchì era malato di cori ci era annato a stari 'nzemmula alla mogliere Assunta.

Il loro unico figlio, Orazio, 'nveci, maritatosi con Luicina Di Giovanni, dal primo jorno di matrimonio si nni era ghiuto 'n casa dei sociri. E la coppia aviva continuato a ristarici macari doppo che era nasciuta la loro figlia fìmmina Lisa.

Ma quanno Lisa fici quinnici anni, lo stisso jorno che le stavano facenno festa, Attilio Di Giovanni, il sociro di Orazio, tutto 'nzemmula, doppo anni e anni che era arrinisciuto a tinirisi, sbummicò facenno finiri a schifìo il festeggiamento.

La scascione fu che Orazio, 'ncarricato da Attilio di jocare per conto sò un tirno sicco, non sulo non aviva fatto la jocata, ma si era perso il dinaro del sociro in una partita a zicchinetta.

E il pejo era stato che il tirno sicco era stato stratto.

Da chiossà di quinnici anni Attilio e sò mogliere 'Ndondò, per amuri della figlia Luicina, sopportavano le malefatti del jenniro, il dinaro che arrubbava dal cascione dell'ufficio d'Attilio per pagari i debiti di joco, il fatto che si faciva allicinziari da ogni posto che gli attrovavano doppo manco 'na misata, ora per le troppi assenze ora pirchì l'attrovavano addrummisciuto sul travaglio, il fatto di fari i commodi sò in quella casa come se ne fusse il patrone, le male risposte che dava, i vuccuni amari della povira Luicina che stava jornate 'ntere a chiangiri nella sò càmmara, 'nzumma tutto vinni a galla e svampò.

«Mangiapani a tradimento! Cosa fitusa! Sunno sidici anni che mi suchi il sangue!» accomenzò a sbraitari Attilio, danno un gran pugno supra alla torta che gli schizzò la facci di crema di ricotta.

Orazio gli arridì 'n facci. Perso il lumi della raggiuni, Attilio gli detti 'na timpulata con la mano lorda di ricotta. Orazio stava per reagiri, ma s'intromittì Michele Giallombardo.

«Mè figlio non si tocca!».

«Ma livativi dai cabasisi voi e vostro figlio!» arraggiò Attilio.

Lisa sbinni, Luicina, assammarata di chianto, se la portò 'n càmmara aiutata da Assunta, macari lei in lacrimi.

Ma Michele Giallombardo nni voliva conto e raggiuni:

«Voi non potiti parlari accussì di mè figlio!».

«Ah, no? Vostro figlio è uno sdilinquenti! Uno capaci di futtirimi 'u portafoglio mentri dormo!».

«Basta ccà!» dissi 'mperativo Michele. «Da stasira stissa mè figlio, sò mogliere e mè nipoti Lisa venno a bitare nella mè casa!».

E fu accussì che nell'appartamento dei Giallombardo a Palazzo Fulconis arrivaro Orazio, Luicina e Lisa.

Ma Orazio, 'nveci di mettiri la testa a partito, pejorò di jorno 'n jorno.

Ora non faciva che jocari a carti dalla matina alla sira e pirdiva assà.

Il dinaro se lo procurava a 'mpristito dal raggiuneri Arturo Attanasio che gli faciva 'ntiressi da strozzo.

Po' 'na sira, il raggiuneri Attanasio, che era un quarantino sicco sicco e laido come la morti, quanno Orazio annò ad addimannarigli autro dinaro, arrispunnì non sulo di no, ma che voliva pagato il debito attrassato entro vintiquattro ure.

Nenti di meno che quinnicimila liri!

Squasi un anno e mezzo di stipendio di un impiegato bono.

Orazio si ghittò agginocchiuni, prigò, supplicò, chiangì, ma il raggiuneri non si cataminò.

«Entro vintiquattro ure».

Ma macari se di ure gliene avissi date cento, mai Orazio avrebbi potuto attrovari tutto quel dinaro.

Quanno Orazio s'arriducì a 'na massa di carni trimanti e vagnata di chianto, murmurianno che oramà non gli ristava che mittirisi 'na mazzara al collo e ghittarisi 'n mari, fu propio allura che il raggiuneri dissi lento lento:

«'Na via di nisciuta ci sarebbi».

«E quali?» spiò Orazio aggrampannosi alle paroli appena sintute come un naufrago a un pezzo di ligno.

E il raggiuneri gliela dissi.

Aggiungenno subito che se la facenna annava 'n porto, non sulo il debito sarebbi stato scancillato, ma Orazio avrebbi avuto un rigalo consistenti in autre quinnicimila liri da potiri perdirle tutte al tavolo da joco.

Ci misi tri misi Orazio a persuadiri a sò figlia Lisa a farisi zita col raggiuneri Arturo Attanasio.

E Lisa il cchiù granni sacrificio della sò vita lo fici per amuri del patre, dato che, essenno picciotta macari 'ntelligenti, aviva accaputo com'era la situazioni.

Però la picciotta, quanno a notti s'attrovava dintra al sò letto, chiangiva dispirata. Pirchì era 'nnamurata, ricambiata, di un picciotto che s'attrovava nella sò stissa pricisa 'ntifica situazioni.

Per diri chi era 'sto picciotto, bisogna satare un piano, il secunno, quello bitato dai Cottone, e arrivare al terzo, indove che ci stava la famiglia Pignataro, fatta di quattro pirsone, patre, matre, figlio mascolo e figlia fìmmina.

Il figlio mascolo, il vinticinchino Paolo, era stato fatto zito con la cuscina Saveria Indelicato si pò diri fin dalla culla, era un tacito patto tra le dù famigli, tantocchiù che i Pignataro non navigavano nella ricchizza mentri gli Indelicato, pur avenno dinari a tinchitè, sapivano beni che la loro figlia era accussì mala camminata che manco se la vistivano d'oro avrebbiro attrovato a uno che se la maritava.

Paolo, che era un bravo picciotto bidienti, si era rassignato a quel matrimonio ma un jorno aviva 'ncontrato scali scali a Lisa appena arrivata con la famiglia a Palazzo Fulconis.

Paolo e Lisa si erano 'nnamurati a prima vista.

Ma era un amuri 'mpossibili, senza spiranzia, dato che Paolo era zito, e macari Lisa, qualichi tempo doppo, si sarebbi attrovata nella stissa pricisa condizioni.

I dù picciotti cchiù di mangiarisi con l'occhi, scangiarisi bigliettini amorosi, sorridirisi, sfiorarisi le mano, darisi qualichi vasata di straforo, non potivano fari autro.

Quanno Lisa, firmannosi un minuto supra al pianerottolo, comunicò a Paolo che era stata fatta zita col raggiuneri Attanasio, il picciotto ne provò un tali dolori che si misi a chiangiri silenziosamenti.

E quanno Lisa, acchiananno supra al tirrazzo con la scusa di stinniri i panni, gli dissi che il matrimonio col raggiuneri era stato fissato entro otto misi, Paolo squasi assintomò.

Dato che non c'era nisciuno nelle vicinanze, Lisa l'abbrazzò, lo vasò e gli sospirò, vrigugnosa, all'oricchio:

«Ah! Quanto vorrei che fossi tu a cogliere il mio fiore!».

A malgrado che fusse mezzo 'ntronatizzo per la tinta notizia, Paolo accapì subito la mitafora.

Ma la cogliuta di quel fiori non era cosa facili. Abbisognava di un loco appartato e tranquillo, di un certo tempo a disposizioni, della sicurizza di nisciun 'ntirvento straneo...

E soprattutto ci voliva l'atmosfera giusta, pirchì quel fiori è assà sensibili, capaci che se non senti l'atmosfera che addisidira, non si lassa cogliri manco se calano l'angeli.

«E come possiamo fare?» spiò Paolo.

«Vedrai che il Signore ci aiuterà».

E 'nfatti il Signore, che è sempri misericordioso, aiutò ai dù picciotti 'nnamurati facenno moriri all'improviso la matre della signura Cottone a Misilmeri. Di conseguenzia la signura Cottone consignò la chiavi del sò appartamento alla signura Pignataro.

Alla consigna era prisenti, per caso, Paolo. Sò matre appizzò le chiavi a un chiovo vicino alla porta di trasuta.

Nella stissa matinata, Paolo arriniscì ad avvertiri a Lisa dell'occasioni inspirata e unica che s'apprisintava.

Perciò, all'una di notti, quanno tutti nel palazzo erano oramà 'n sonno chino, Lisa si susì dal letto 'n cammisa di notti, raprì senza fari rumorata la porta di casa, acchianò un piano, attrovò la porta dei Cottone accostata, l'ammuttò, trasì, c'era scuro fitto, richiuì e s'attrovò stringiuta dalle vrazza di Paolo. Il quali la sollivò 'n aria e se la portò nella càmmara di letto dei Cottone, illuminata, si fa per diri, da 'na sula, romantica cannila.

Mezz'ora appresso, il fiore era stato colto, ma i dù picciotti si nni ristavano abbrazzati stritti stritti sapenno che ancora c'erano autri e scanosciuti sciuri da attrovari.

Arrivati a 'sto punto, è chiaro pirchì ammancano dù pirsone, una dal primo e una dal terzo piano e si nni attrovano dù al secunno che avrebbi dovuto essiri momintaniamenti disabitato.

E acchianamo al quarto e ultimo, indove, al momento della prima scossa, ci stanno novi pirsone 'nveci delle deci che avrebbiro dovuto essirici.

Ora, essenno la famiglia Sorrentino composta dal quarantino Agazio, da sò mogliere Teresa e da quattro coppie di gemelli rispettivamenti di dodici, deci, otto e sei anni, è chiaro che a mancari non potivano essiri che Agazio o Teresa.

Ammancava Agazio.

Il quali si era quatelosamenti susuto dal letto per non arrisbigliari a Teresa e si nni era ghiuto 'n cucina a vivirisi qualichi bicchierata di vino per darisi coraggio e fari quello che purtroppo doviva fari.

Era da tempo che la sfortuna lo pirsiguitava.

'N società coll'amico Nicola Fazio aviva rapruto un granni magazzino di generi limentari, accussì aliganti e accussì fornito di robba fina che non ci nni era uno eguali in tutta la provincia di Montelusa.

Ebbeni, tri anni doppo, era vinuto fora che quel grannissimo cornuto del socio aviva firmato 'na gran quantità di cambiali mittenno a fronti il magazzino.

E accussì, da un jorno all'autro, Agazio aviva pirduto squasi tutto.

Con quel picca dinaro che gli era ristato, aviva rapruto uno spaccio di sali e tabacchi. Ma una notti lo spaccio, come fu e come non fu, era annato a foco.

Agazio, per potiri campari la numirosa famiglia, aviva accomenzato a fari debiti.

E ora s'attrovava al punto che nisciuno gli voliva cchiù fari credito. Dal misi che trasiva non avrebbi potuto pagari 'u fitto a Ginex.

L'unica cosa che ancora possidiva era 'n'assicurazioni sulla vita: se moriva, a Teresa sarebbi trasuta 'na gran quantità di dinaro che l'avrebbi fatta campari 'n paci, a lei e ai figli, per qualichi annata.

Perciò l'unica era ammazzarisi.

Ma nella polizza non era certo contimplato il suicidio.

Allura Agazio aviva strumentiato d'ammazzarisi facenno finta di cadiri 'n mari, 'mbriaco, dalla banchina del porto ma in prisenza di qualichi piscatori di paranza matinero che avrebbi potuto testimoniari che si era trattato di 'na disgrazia.

Ora abbisogna stari attenti all'orario.

Alle tri meno un quarto, Agazio si vippi l'urtimo bicchieri, si vistì, annò nelle càmmare indove dormivano i sò figli per taliarli l'urtima vota, po' annò a salutari mentalmenti a Teresa che continuava a dormiri stanca morta di doviri abbadari a otto figli, e, coll'occhi lacrimanti, alli tri e un quarto spaccati s'attrovò fora dal palazzo diretto al porto.

Caminava da cinco minuti quanno ci fu la prima scossa.

In un primo momento non pinsò al tirrimoto, ma criditti che l'ondeggiamento fossi addovuto al troppo vino vivuto. Per cui si firmò, 'mparpagliato.

Un minuto appresso sintì un gran vociari e vitti la genti mezza nuda accomenzare a nesciri atterrita dai portoni e corriri alla dispirata verso il Piano Lanterna.

Ora, uno che sta annanno a suicidarisi facenno 'n modo però che il suicidio possa pariri 'na disgrazia, a rigori di logica dovrebbi approfittarisi di quello che stava capitanno, annanno a mittirisi subito sutta a 'na casa e spiranno che il tirrimoto gliela facissi crollari 'n testa.

'Nveci Agazio, contagiato dal panico, 'stintivamenti pinsò di dovirisi sarbari la vita.

E si misi macari lui a corriri verso il Piano Lanterna.

# Quattro

A un certo momento della cursa, Agazio truppicò malamenti contro 'na petra e, non avenno indove appigliarisi, cadì longo 'n terra.

Quelli che vinivano appresso di lui gli passarono di supra fortunatamenti senza spaccarigli l'ossa ma facennogli un gran mali.

Ristò accussì mentri le scossi continuavano, senza attrovari la forza di rimittirisi addritta.

Po', mentri che si stava finalmenti susenno, 'na baligia pisanti strascinata da 'n omo gli sbattì darrè il cozzo facennolo cadiri affacciabocconi mezzo sbinuto.

Quanno ripigliò i sensi, sintì che supra alla sò mano dritta c'era qualichi cosa, 'na speci di pacchetto. Girò la mano e lo toccò con le dita.

Era un pacchetto sottili sottili, tinuto da un lastico e fatto di fogli di 'na carta spissa e rùvita che arricordava quella della carta monita.

C'era scuro fitto, ma lui aviva 'n sacchetta 'na scatola di surfareddri e ne addrumò uno.

Non criditti a quello che vidiva.

Era propio 'na mazzetta di deci fogli di milli liri. E a cinco centilimetri di distanzia ci nni era 'n'autra.

Di colpo Agazio s'attrovò addritta, ma ora caminava a lento, addrumanno un surfareddro doppo l'autro e talianno fisso 'n terra.

Fu accussì che doppo manco deci minuti s'attrovò propietario di 'na vera ricchizza: sissantamila liri! 'Na fortuna! Non aviva mai possiduto tanto dinaro manco nei momenti della meglio prosperità!

Si 'nfilò 'n sacchetta le sei mazzette e si misi a corriri verso la sò casa, chiangenno e arridenno, per portari aiuto a sò mogliere e ai sò otto figli.

E ora ci attocca ridiscinniri al pianoterra per parlari della mistiriosa nona pirsona.

Filippo Mangiaracina era un povirazzo morto di fami che campava addimannanno la limosina o facenno qualichi piccolo furto e che dormiva indove che gli accapitava.

La notti del tirrimoto si nni era ghiuto a corcari dintra a un portoni che ristava sempri rapruto e che s'attrovava a picca metri dal portoni di Palazzo Fulconis.

Alle dù si era arrisbigliato sintenno il ralogio del campanili battiri l'ora e non aviva cchiù ripigliato sonno. Era stato accussì che aviva viduto, alle dù e un quarto, a uno, che po' era Agazio Sorrentino, nesciri da Palazzo Fulconis e allontanarisi lassanno il portoni aperto.

Non ci persi un minuto a susirisi e a profittari dell'occasioni. In un minuto era già dintra all'ingresso e, videnno alla luci di 'na splapita lampatina, che allato alla porta di trasuta all'appartamento del pianoterra ci stava 'na finistruzza aperta, scavarcò il davanzali e trasì.

C'era scuro fitto e lui si nni stetti tanticchia fermo per abituari la vista.

Fu in quel priciso momento che capitò la prima scossa. Morto di scanto, Mangiaracina ristò 'mmobili come 'na statua. Doppo qualichi minuto sintì 'na voci fimminina e 'na voci mascolina che facivano 'n coro:

«'U tirrimoto!».

'Na luci s'addrumò, po' si nni addrumò 'n'autra. Mangiaracina era sempri 'na statua di màrmaro.

Po' 'na porta vicinissima si raprì e comparse Alessio Ginex 'n mutanne che riscomparse un secunno appresso con la vilocità di un furgarone.

«Mi vitti o non mi vitti?».

Mangiaracina ebbi appena 'u tempo di farisi 'sta dimanna che Alessio ricomparse. 'N mano aviva un revorbaro enormi e, senza diri né ai né bai, gli sparò un colpo.

Il botto fu tirribili, ma il rinculo fu tali che Alessio riscomparse dintra alla càmmara da indove era apparso. Mangiaracina, che tra il tirrimoto e la revorberata aviva perso completamenti la testa, si misi a corriri verso 'na finestra che c'era 'n funno al corridoio, ma non fici a tempo ad arrivarici pirchì Alessio gli tirò un secunno colpo.

Dato che il corridoio faciva angolo e proseguiva, Mangiaracina seguitò a corriri e, vidute tri càmmare 'n fila con le porte chiuse, si ghittò contro la prima raprennola con una spaddrata.

Un attimo avanti che arriniscissi a trasire, Alessio gli sparò un terzo colpo. Dintra alla càmmara ci stavano un mascolo e 'na fìmmina nudi supra a un letto che lo taliaro morti di scanto. Mangiaracina si ghittò sutta al letto.

Arrivò Alessio e, alla scena che gli s'apprisintò, sò figlia nuda con un omo nudo, si bloccò, con l'occhi fora dalla testa. Si stava insognanno un incubo?

«Non sparari, papà!» supplicò Rosetta.

«Io me la marito a vostra figlia!» giurò Sasà.

Approfittanno dell'attimo di 'ntordunamento di Alessio, Mangiaracina niscì a quattro zampi da sutta al letto, riguadagnò il corridoio, ma accapì, va a sapiri come, che l'autro, forsi cridenno accussì d'arrisbigliarisi, gli stava novamenti sparanno.

Si ghittò con tutta la forza che aviva contro la secunna porta, la raprì, trasì, e s'attrovò davanti a 'na scena tanto pricisa 'ntifica alla pricidenti che pinsò d'essirisi 'mbriacato: un omo e 'na fìmmina nudi supra al letto che lo taliavano con l'occhi sgriddrati. Allura macari lui ripitì il gesto di prima. Alessio trasì col revorbaro 'n pugno e, per quello che stava videnno, ebbi un violento sussulto e gli partì, senza volirlo, un autro colpo che annò a finiri nel soffitto.

«Non ci ammazzare, papà!» supplicò Filippa.

«Me la marito, me la marito!» giurò Giugiù.

A 'sto punto arrivaro Giacomina in vistaglia e Arelio 'n mutanne, trimanno per lo scanto del tirrimoto e dei colpi di revorbaro.

Alessio Ginex, sopraffatto dalla rialtà, chiuì l'occhi e murmuriò:

«Ah! La mè casa un burdello addivintò!».

E po', lentamenti, cadì 'n terra sbinuto. La vista della vrigogna nella quali erano cadute le sò figlie l'aviva stroncato.

Nisciuno s'addunò che 'ntanto Mangiaracina si nni nisciva da sutta al letto e si nni scappava dalla stissa finistruzza dalla quali era trasuto. Fici per annari 'n strata, ma si firmò videnno 'na gran quantità di fìmmine e mascoli, in sottana e mutanne, che corrivano al Piano Lanterna. Allura, pinsanno che macari l'abitanti del palazzo si nni erano scappati e lui avrebbi avuto modo d'arrubbari qualichi cosuzza, girò le spalli e accomenzò ad acchianare la prima rampa di scali.

Al primo piano i Giallombardo, vali a diri Michele e Assunta, Orazio e Luicina, circavano dispirati a Lisa. Non potivano scapparisinni senza sapiri indove era ghiuta a finiri la loro rispittiva nipoti e figlia.

Fu il vecchio Michele ad addunarisi che la porta di casa era sulo accostata.

Lo rifirì all'autri e tutti foro d'accordo che a farlo non potiva essiri stata che Lisa. Orazio raprì la porta per vidiri se sò figlia era nelle vicinanze e s'attrovò facci con facci con Mangiaracina.

«Scusate, voi pi caso aviti viduto a 'na picciotta nesciri da ccà?».

«Cettamenti» arrispunnì Mangiaracina che non ci stava tanto con la testa già di parti sò, figuramoci col tirrimoto e la sparatoria.

«E l'aviti viduta indove annò?».
«Cettamenti».
«E indove annò?».
«Corrì fora dal portoni».
Sicuri che Lisa si era mittuta 'n salvo, i Giallombardo niscero e s'addiriggero al Piano Lanterna. Ma prima d'abbannunari il palazzo, Michele chiuì a chiavi la porta. Mangiaracina, che aviva spirato diversamenti, santianno acchianò 'n'autra rampa di scali.

Macari la porta del secunno piano era accostata. Mangiaracina l'ammuttò e trasì. Nell'appartamento c'era scuro fitto, sulo 'na chiarìa deboli viniva da 'na càmmara 'n funno. Mangiaracina s'avvicinò e taliò. Ristò 'ngiarmato. Puro ccà c'era 'na coppia nuda che faciva l'amuri, ma erano accussì pigliati che non sintivano le scossi del tirrimoto che s'arripitivano ogni cinco minuti. Pinsò che avrebbi potuto arrubbari con tutta tranquillità, tanto quei dù picciotti 'nnamurati non avrebbiro sintuto manco le cannonate. 'Nfatti trasì dintra alla càmmara pirchì aviva viduto 'na cannila astutata allato a quella addrumata, se la pigliò e niscì senza che i dù l'avissiro notato.
Quanno fu novamenti fora dalla porta del secunno piano, aviva tricento liri 'n sacchetta che aviva attrovato dintra a un cascione e 'ndossava 'na divisa di Seniore della Milizia fascista pigliata da un armuàr che gli era piaciuta assà e che gli stava tanticchia larga.

Stava supra al pianirottolo 'ndeciso se acchianari ancora o annarisinni, quanno si sintì chiamari dal piano superiori. Isò la testa. C'era un tali che si sporgiva dalla ringhera.

«Scusate, camerata Seniore, aviti viduto per caso a un picciotto vintino?».

«Cettamenti».

«E l'aviti viduto indove annò?».

«Cettamenti».

«E indove annò?».

«Corrì fora dal portoni».

Accussì macari quelli che bitavano al terzo piano, vali a diri i Pignataro, si ficiro pirsuasi che Paolo era stato 'u primo a scapparisinni e ficiro lo stisso macari loro addiriggennosi al Piano Lanterna. Mangiaracina se li vitti sfilari davanti che gli facivano il saluto fascista e po' addicidì d'acchianari la rampa per vidiri come avivano lassato la porta. Ristò sdilluso. L'avivano lassata chiusa a chiavi.

«Aio fatto trenta, tanto vali che fazzo trentuno» pinsò.

E acchianò l'urtima rampa arrivanno al quarto piano. Agazio non aviva chiuiuto la porta. Mangiaracina ammuttò e trasì. In una càmmara dormivano quattro picciliddri, in quella appresso nni dormivano autri quattro, nella càmmara matrimoniali appresso c'era 'na fìmmina che macari lei dormiva. Doviva essiri accussì sfinuta d'abbadari a otto figli che il tirrìmoto non l'aviva arrisbigliata. Avrebbi potuto arrubbari quello che voliva, ma gliene ammancò la gana.

Propio sul portoni del palazzo a momenti si scontrò con uno che trasiva di corsa e arridiva e chiangiva.

Agazio si fici i quattro piani volanno, trasì nella sò casa e s'addunò che tutti dormivano. Allura si spogliò, pigliò le mazzette, si addunò che nella corruta ne aviva pirdute dù, poco mali, gli ristavano quarantamila liri, si 'nfilò nel letto allato a Teresa e, futtennosinni del tirrimoto che continuava, a picca a picca s'addrummiscì abbrazzato alla mogliere.

Alle quattro il tirrimoto finì. Ma la genti non si cataminò dal Piano Lanterna pirchì era cosa cognita che doppo ogni tirrimoto venno le scossi d'assistamento.

Lisa e Paolo alle quattro si sciogliero dall'abbrazzo, si dettiro l'urtima vasata e ognuno si nni tornò a pedi leggio nel proprio appartamento. Ma nisciuno dei dù potì trasire in quanto attrovaro le rispittive porte chiuiute a chiavi. Però Lisa, proprio davanti alla sò porta, aviva attrovate 'n terra dù mazzette di decimila liri ognuna. Se le pigliò, dicennosi che se qualichiduno del palazzo l'arreclamava, le avrebbi restituite. S'arritrovò con Paolo supra al pianerottolo del secunno piano e non arriniscivano a capacitarisi di quello che stava capitanno. Dispirati, scinnero fino al portoni, Paolo sporgì la testa. A picca metri ci stava un Seniore della Milizia. Lo chiamò. Quello s'avvicinò.

«Scusate, camerata Seniore, ma nni sapiti diri che capitò?».

«Cettamenti».

«E che capitò?».

«Il Duci chiamò l'adunata al Piano Lanterna, i mascoli 'n mutanne, le fìmmine 'n fodetta. Voi e la vostra picciotta siete già in divisa. Annate!».

«Credere, obbedire, combattere» era la parola d'ordini. E accussì macari Lisa e Paolo, cridenno e obbidenno, si nni correro al Piano Lanterna.

Dalla botta, Alessio Ginex non s'arripigliò cchiù. Ristò apparalizzato stannosinni sempri assittato supra a 'na pultruna e non volenno cchiù farisi vidiri 'n paìsi per il disonori portatogli delle tri figlie. Le quali si maritaro entro l'anno coi muratori dato che già la panza d'ognuna si vidiva.

Non si seppi mai come, ma Orazio Giallombardo arristituì al raggiuneri Arturo Attanasio le quinnicimila liri di debito e scioglì la promissa di matrimonio. L'anno appresso Lisa si maritò con Paolo.

Agazio Sorrentino raprì, da sulo, un gran nigozio di generi limentari che ci volivano occhi per taliarlo.

'Nzumma, tutto sommato, fu un tirrimoto binigno.

Sulo che non si era trattato di un tirrimoto.

Come si seppi dù jorni appresso da un comunicato di Mussolini comparso supra ai jornali, la flotta 'nglisa, composta da dù corazzati, quattro 'ncrociatori, otto cacciatorpedinere e deci torpedinere aviva fatta 'n'esercitazioni a foco tra Malta e la Sicilia. I vigatisi l'avivano scangiata per tirrimoto. «Ma» concludiva il comunicato «queste indirette intimidazioni del popolo dei cinque pasti non hanno avuto nessun effetto sull'indomita popolazione fascista».

Ma era accussì sicuro Mussolini che a Vigàta non aviva avuto nisciun effetto?

# Le somiglianze

# Uno

Fino a un misi avanti che addivintasse trentino, Umberto, ma per l'amici e soprattutto per l'amiche 'Mbembè, fici la bella vita.

Figlio unico del ricco sfunnato commendatori Arturo Brucato, possidenti, propietario di feudi e di 'na gran quantità di palazzi e negozi, già a quattordici anni aviva addimostrato qual era la sò vera e unica 'nclinazioni sia assicutanno casa casa alla cchiù picciotta delle cammarere per tastiarle il davanti e il darrè, sia tintanno di spogliari la cuscina sidicina Mariastella che gli si era apprisintata 'ncautamenti 'n càmmara di letto con la sula fodetta.

La matre di 'Mbembè, donna Rosalia, fìmmina chiesastra, sempri col rosario 'n mano, vidennolo accussì assatanato e scantannosi che del figlio si fosse 'mpossissato il dimonio, lo pigliò e lo portò dal pispico di Montelusa per farlo binidiciri.

Ma a quello, che di piccati e piccatori si nni 'ntinniva, gli abbastò un'occhiata al quattordicino per sintinziari:

«Signura mia, a questo non lo calma manco se lo teni a bagnomaria dintra a 'na vutti d'acqua santa».

«E allura che si pò fari?».

«Adoperi 'u nerbo».

Di dari nirbate alla sò criatura propio non se la sintiva. Mai aviva isato le mano supra di lui. Ma 'na soluzioni doviva assolutamenti attrovarla.

Pensa che ti ripensa, arrivò a 'na decisioni irremovibili e cioè mannare a Umberto nel collegio militari di Palermo. Privarisi dell'unico figlio le costò lagrime di sangue, ma era la cosa giusta.

'Nfatti, quanno Umberto tornò per le vacanzi di Natali, pariva cangiato. E si comportò da pirsona aducata macari quanno la cuscina Mariastella, stavota 'ntinzionalmenti e spiranno che annasse a finiri meglio dell'autra vota, gli trasì con una scusa 'n càmmara vistuta sulamenti di 'na fodetta trasparenti.

Ma doppo dù anni che stava 'n collegio donna Rosalia morse 'mprovisa e il commendatori Arturo, appresso il funerali, non se la sintì di rimannare a Umberto 'n collegio. Sulo, nella granni casa indove bitava, non ci voliva stari.

E abbastò 'na simanata scarsa pirchì Umberto tornassi a essiri quello che era stato.

Il commendatori, a scanso di guai e complicazioni, allicinziò le cammarere picciotte e le sostituì con sissantine avanzate, proibenno inoltre alla nipoti Mariastella di vinirigli a fari visita e macari, come spisso faciva, ristarisinni a dormiri.

'Nveci il frati di Mariastella, Gegè, che aviva la stissa età di Umberto, potiva apprisintarisi quanno voliva.

Tanto Umberto era beddro, scioperato e malaconnutta, quanto sò cuscino Gegè era laido, studioso e assinnato. Ma, cosa stramma, i dù si facivano 'na gran simpatia e spisso e volanteri si nni stavano 'nzemmula a chiacchiariari.

Quanno, nel milli e novicento e trenta, 'Mbembè fici vint'anni, sò patre, che stravidiva per lui a malgrado dei continui dispiaciri che gli dava, gli fici attrovare per rigalo 'na Bugatti.

E accussì, avenno a disposizioni quella gran machina, 'Mbembè perse la strata di casa.

Al circolo dei borgisi qualichiduno ogni tanto ne portava notizie.

«Vitti a 'Mbembè a Taormina. Era abbrazzato a 'na svidisa che faciva spavento, tanto era beddra».

«Lo sapiti? A Sanremo 'ncontrai a 'Mbembè con una tidisca che ci volivano occhi per taliarla».

«M'attrovavo a Cortina per un affari quanno m'addunai che stava passanno la Bugatti di 'Mbembè. Guidava lui e allato, amici mè, aviva a 'na biunna che...».

Le rare vote che lo si vidiva 'n paìsi però era sulo, senza fìmmina. La fìmmina la lassava in albergo a Palermo per i dù, massimo tri jorni che si nni stava a Vigàta. Indove passava il tempo o 'n casa con sò patre o passianno e parlanno con il cuscino Gegè.

Il tiligramma che gli annunziava la morti del patre l'arricivitti mentri se la stava spassanno a Venezia.

S'apprecipitò a Vigàta e ccà, facennogli le condoglianze, il notaro Di Bella gli comunicò che il commendatori, sintenno arrivata la sò urtima ura, tri jorni prima di moriri aviva fatto tistamento.

«Uno di 'sti jorni passo da lei» fici svagato 'Mbembè.
Il notaro storcì la vucca.
«C'è cosa?» spiò il picciotto.
«Prima veni e meglio è per lei».
Un campanello d'allarmi sonò dintra alla testa di 'Mbembè. Che viniva a significari quella prescia? Forsi che sò patre gli aviva fatto qualichi sorpresa?
«Pozzo viniri domani a matina alle deci» dissi.
«L'aspetto» fici il notaro.

Il tistamento stabiliva che tutto quello che il commendatori possidiva di solido e di liquito sarebbi passato al figlio, ma abbisognava che arrispittasse tri condizioni tassative.
Primo: farisi ufficialmenti zito con una picciotta di Vigàta avanti del compimento dei trent'anni.
Secunno: maritarisi entro i seguenti sei misi.
Terzo: fari un figlio, o 'na figlia, la cosa non importava, con la mogliere legittima tempo un anno dall'avvinuto matrimonio.
La mancata osservanza di una sula delle tri condizioni assignificava la perdita dell'intera eredità che sarebbi passata al convento delle Figlie di Maria.
Alla lettura del tistamento, 'Mbembè per picca non sbinni.
Aviva appena un misi per sciglirisi 'na mogliere.
Masannò si sarebbi arritrovato, da un jorno all'autro, completamenti poviro e pazzo.

Siccome che oramà 'n pàisi non accanosciva cchiù a

nisciuno, l'unica era d'arrivolgirisi ai cuscini Gegè e Mariastella. E accussì fici.

Gegè si tirò subito narrè.

«Macari io non accanoscio a nisciuno 'n paìsi, a malgrado che ci abito. Io mi nni staio da la matina a la sira 'n casa a studiari, nescio sulo per annare a fari lezioni al liceo».

«Ma non pensi a maritariti?».

«Di pinsarici, ci penso. Ma laido come sugno, chi è che mi piglia? Forsi, un jorno, attroverò a una vidova con tri figli».

Mariastella 'nveci, che s'era maritata col ricco baronello Demicheli e faciva vita di società, aviva a 'na gran quantità d'amiche 'n cerca di marito.

«Non t'apprioccupari, 'Mbembè, fa cunto che tra quinnici jorni sarai zito» assicurò arridenno.

E approfittanno del fatto che sò figlio la duminica che viniva faciva dù anni, organizzò 'na gran festa alla quali 'nvitò tutte l'amiche e canoscenti di Vigàta e di Montelusa, avenno preventivamenti fatto spargiri la voci che sò cuscino 'Mbembè aviva gana di farisi zito e di maritarisi.

Alla fini della gran festa, 'Mbembè consignò a Mariastella 'na lista fatta di quattro nomi di picciotte.

Nisciuna delle quali, ci tinni a precisari, era minimamenti all'artizza, in quanto a biddrizza, delle fìmmine che aviva frequentato, ma 'nzumma, chiuienno mezz'occhio, e considerata la scadenza mittuta dal tistamento, si potiva contintari.

'N cima alla lista ci stava il nomi di Michela Fortunato.

«Questa mi piaci chiossà di tutte».
Mariastella ristò muta.
«Chi nni dici?».
Mariastella fici 'na smorfia.
«Voi parlari sì o no?».
«Amica mè è».
«Meglio, no?».
«Volivo diri che Michela con mia si confida».
«E allura?».
«Vidi, 'Mbembè, a Michela la sula idea che un omo... cerca di capirimi, la fa vommitari. La facenna la ripugna, le fa viniri la pelli d'oca. Non ha mai provato il minimo desiderio di... mi spiego? È fatta accussì, non ci pò fari nenti. Il sò ideali matrimoniali sarebbi di essiri considerata dal marito come una soro».

«Passamo al secunno nomi» dissi arrisoluto 'Mbembè.

Che era quello di Giovanna Tagliacozzo.

Giovanna s'addimostrò 'ntusiasta della proposta che le fici Mariastella e addimannò quattro jorni di tempo per dari 'na risposta, ne avrebbi dovuto parlari con sò patre e con sò matre.

Ma quanno il professori Augusto Tagliacozzo, docenti di diritto pinali all'università, omo d'intigerrimi costumi, seppi che 'Mbembè si voliva fari zito con sò figlia, fu catigorico.

«Mai e poi mai consentirò che quel grandissimo debosciato metta piede nella mia casa onorata!».

E a Giovanna che si era mittuta a chiangiari, le fici presenti che, maritannosi a un malaconnutta come a 'Mbembè, avrebbi avuto 'na vita 'nfelici pirchì quello le avrebbi mittuto le corna il jorno stisso del matrimonio.

E tanto fici e tanto dissi che la povira Giovanna, con un gran dolori di cori, dovitti diri di no a Mariastella.

E 'ntanto la prima simana si nni era volata.

La terza della lista era Lucia Raffeli. Quanno Mariastella la circò, seppi che l'amica si nni era ghiuta a Palermo e che sarebbi tornata tra quattro jorni. Aspittò e po' finalmenti potti farle la dimanna di zitaggio.

Lucia scossi negativa la testa.

«Non ti piaci 'Mbembè?».

«Mi è 'ndiffirenti. Come tutti l'òmini, del resto».

Mariastella allucchì.

«E pirchì?».

«Pirchì sugno già zita. Ed entro l'anno mi marito».

Mariastella stunò.

«E come mai non nni sapemo nenti?».

«Finora l'ho tinuto sigreto».

«Pozzo sapiri con chi ti mariti?».

«Con Gesù. Mi fazzo monaca».

E 'n'autra simana si nni era volata.

La quarta era Manuela Bongiovanni. La quali era 'na beddra picciotta e macari con una bona doti, ma aviva la fissazioni dell'ordini. Nella sò càmmara non c'era 'na cosa che fusse fora posto, i libri che le piaciva leggiri parivano appena nisciuti dalla stamperia ed erano allineati nella libriria in un pirfetto ordini decrescenti. Mai il minimo granello di pruvolazzo supra di essi. E siccome che era figlia unica e di caratteri autoritario, a picca a picca aviva abituato a sò patre e a sò matre alle stisse regoli.

Per prima cosa, addimannò a Mariastella quattro jorni per pinsarici.

Po' le dissi che si era orientata per il sì, ma prima voliva vidiri come 'Mbembè tiniva la càmmara indove dormiva. La cosa doviva essiri fatta all'insaputa dell'intirissato. Mariastella s'approfittò di un jorno che 'Mbembè aviva accompagnato 'm Palermo a Gegè per una visita oculistica per soddisfari il desiderio dell'amica.

Alla quali abbastò mettiri la testa dintra alla càmmara per arritirarla fora inorridita e diri subito un no difinitivo allo zitaggio.

Ora ristava l'urtima simana, non c'era tempo da perdiri.

«E vabbeni» sospirò 'Mbembè. «Prova con Michela Fortunato».

«Sicuro?» gli spiò Mariastella.

'Mbembè allargò le vrazza.

Per cinco jorni consecutivi Michela dissi di no senza dari spiegazioni.

Al sesto jorno, urtimo utili per annare dal notaro, alle deci del matino s'addicidì a spiegari a Mariastella che si scantava che 'Mbembè, malo abituato com'era, avrebbi pritiso di farlo tutte le notti.

'Mbembè si 'mpignò per iscritto a farlo dù vote a simana.

Alle dodici si nni vinni fora che lei si nni sarebbi annata a corcare 'ndossanno 'na cammisa da notti di tila spissa sutta alla quali il marito non avrebbi mai dovuto 'nfilare la mano.

'Mbembè addichiarò per iscritto che mai e poi mai avrebbi 'nfilato la mano.

Alli tri del doppopranzo si nni niscì con la novità che quanno lei si annava a lavari, mai 'Mbembè sarebbi dovuto trasiri 'n bagno.

'Mbembè lo misi per iscritto.

Alle cinco pritise che durante lo zitaggio mai 'Mbembè le avrebbi fatto 'na carizza ardita o addimannato 'na vasata.

'Mbembè scrissi macari questo.

Alli sei Michela dissi a sò patre Filippo che potiva accompagnari a 'Mbembè dal notaro per addichiarari lo zitaggio ufficiali.

## Due

L'affannosi trattativi dell'urtime ure tra 'Mbembè e Michela per concludiri lo zitaggio si erano svorte tutte 'n gran sigreto tramite Mariastella epperciò, a rigori di logica, nisciuno ne avrebbi dovuto essiri a canuscenzia.

'Nveci Mariastella, 'ncautamenti, un jorno si lassò scappari mezza parola con un'amica, il jorno appresso mezza con 'n'autra e in brevi finì che tutta Vigàta seppi le riddicole condizioni poste da Michela e accittate per nicissitate da 'Mbembè.

«È la liggi dantisca del contrappasso!» sintiziò al circolo il profissori Cannarota. «'Mbembè se l'è scialata come e quanno ha voluto e ora con la mogliere dovrà stari a stecchetto».

«Ma quali contrappasso e contrappasso!» ribattì il raggiuneri Joculano. «A 'Mbembè non gli piaci di fari la parti di San Giuseppi. Ci potiti mittiri la mano supra al foco che 'Mbembè, con le bone o con le tinte, pirsuadirà diversamenti a sò mogliere».

«Io a Michela l'accanoscio» 'ntirvinni don Tano Cipolla. «È cchiù facili che capita arriversa. E cioè che 'Mbembè addivintirà casto e morirà 'n odori di santità».

Si ficiro scommisse.

'Mbembè, 'na simana appresso che si era fatto zito, annò ad attrovari il sociro Filippo nel sò studdio d'avvocato per una chiacchiariata a quattr'occhi.

«Visto e considerato che Michela, quanno vegno nella vostra casa, si manteni a cinco metri minimo di distanzia da mia e che comunqui non parlerebbi mai di 'st'argomento sdilicato, sugno costretto a viniri a esporri a lei un problema grosso».

«Esponilo».

«Ma prima devo fari 'na primissa».

«E falla».

«Sono annato dal notaro il quali m'ha ditto che io oramà sugno 'n regola con quanto disponiva il tistamento. Perciò, nel caso che nel corso dello zitaggio tra mia e Michela sorgissiro insormontabili diffirenze di vidute e che lo zitaggio si dovissi sciogliri, a mia mi sarebbi concesso 'n autro misi di tempo per attrovarimi 'na nova zita. 'N paroli poviri, davanti alla liggi, sarebbi come se non fusse successo nenti di nenti rispetto all'eredità. Chiaro?».

Era cchiù che chiaro, lampanti.

E l'avvocato Fortunato si sintì trimari al pinsero che sò figlia Michela, 'na vota che tutto il paìsi era vinuto a canuscenzia di come se la pinsava supra al santo doviri coniugali, difficilmenti avrebbi arricivuto 'na secunna dimanna di matrimonio.

«Ho capito. Arriva al problema».

«Le parlo col cori 'n mano».

«Parla come voi».

«Il problema è che dù vote a simana, come abbiamo convinuto con Michela, abbasciano assà la probabilità d'aviri un figlio entro un anno dal matrimonio».

«E pirchì?».

«In primisi, pirchì un misi si componi di quattro simane di cui una va sicuramenti pirduta a causa dello... della... del... della cosa,'nzumma, nni semo accapiti. Di conseguenzia, a fari 'u cunto, i rapporti matrimoniali da otto calano a sei».

«Ho capito. E che proponi per arrisolviri la facenna? Il ricupero dei dù che venno a mancari?».

«Nonsi. Troppo picca è. Non abbasta. Voglio che mi siano date cchiù possibilità».

«Vali a diri?».

«Tri vote a simana».

L'avvocato fici 'na facci dubitosa.

«Nni parlerò 'n casa. Passa tra 'na poco di jorni. Non sarà facili persuadiri a mè figlia».

Quanno donna Ciccina, la matre di Michela, sintì la novità, isò le vrazza al celo e dissi arresoluta:

«Io mi vrigogno a parlari con mè figlia di 'st'argomenti».

«Ma dici supra 'u serio? 'Sti cose spettano a tia».

«Spettano a mia ma io non le fazzo, vabbeni?».

«E allura che si pò fari?» spiò sò marito.

«Talè, l'unica è che io nni parlo a patre Cosentino. È il sò confissori e Michela lo teni 'n considerazioni».

Patre Cosentino, sintuta la questioni, assicurò che non

sulo sarebbi 'ntirvinuto, ma che ci si sarebbi mittuto d'impegno.

Spiegò a Michela che il sò futuro marito era animato, nella sò richiesta di maggiori rapporti, non da una piccaminosa e spregevoli ricerca del piaciri della carni, ma dalla giusta e sacrosanta 'ntinzioni di procriari prima possibili.

E non era chisto il vero scopo del matrimonio come l'intinniva matre Chiesa?

Abbastava che duranti l'atto Michela dicisse un salviregina e se putacaso l'atto era longo o replicato, potiva recitari avemmarie e patrinnostri a secunna della nicissità.

E Michela acconsintì. Di malavoglia, certo, ma acconsintì.

Vinni strazzato il foglio indove era stato scrivuto il primo patto e ne vinni scritto 'n autro.

Doppo quattro misi tutte le pratiche vinniro fatte e Michela e 'Mbembè foro 'n condizioni di maritarisi.

Con dù misi d'anticipo supra a quanto voluto dal tistamento.

E 'Mbembè, che era stato 'nvitato ogni duminica a pranzo dai Fortunato, finalmenti arriniscì a diri la sospirata frasi:

«E ora volemo stabiliri la data del matrimonio?».

Michela addivintò di colpo russa 'n facci come foco, si susì dalla tavola e annò a 'nsirrarisi nella sò càmmara.

«Da parti nostra tutto pronto è» dissi donna Ciccina.

Stabilero che la meglio data era da lì a un misi, considerato che tra l'autro abbisognava stampari e spidiri l'inviti e priparari il vistito da sposa per Michela.

Ma il matino appresso l'avvocato Fortunato mannò a chiamari al futuro jenniro.

'Mbembè notò che aviva l'occhiaie e la facci giarnusa.

«Non si senti bono?».

«Passai 'na mala nuttata».

«E pirchì?».

«Per corpa di Michela. Abbiamo passato tutta la notti a discutiri e a raggiunari».

«Oh matre santa! Che capitò?».

«Capitò che voli fari un matrimonio semprici semprici, senza 'nvitati e senza abito bianco longo».

«E pirchì?».

«Dici che tutti li 'nvitati pinsiranno a quello che lei dovrà fari quella notti stissa epperciò s'affrunta. Voli sulo a mia, a sò matre, e ai quattro tistimoni».

«E a mia mi voli al matrimonio?» spiò arraggiato 'Mbembè.

L'avvocato non arrispunnì. 'Nveci dissi:

«C'è 'n'autra cosa».

«E cioè?».

«Che il matrimonio si devi fari sulo il jorno prima della scadenza dei sei misi».

«E pirchì?».

«Dici che accussì avi cchiù tempo a disposizioni per ripararisi al sacrificio».

«Sacrificio?!».

«Che vuoi che ti dica, 'Mbembè, 'sta parola adopirò».

E po' l'avvocato fici ehm ehm con la gola e si misi a taliare fora dalla finestra. Appresso parlò:

«Ci sarebbi macari la facenna dello scuro».

«Quali scuro?».

«Michela voli che quanno... che durante l'adempimento del doviri coniugali la càmmara di letto sia completamenti allo scuro. Scuro fitto, bisogna astutare macari il lumino sutta alla Madonna».

«Vabbeni».

L'avvocato si misi a taliare a longo i polsini. 'Mbembè accapì che c'era ancora carrico.

«Mi devi diri autro?».

«Sì. Che non voli fari assolutamenti 'u viaggio di nozzi».

«Per quali motivo?».

«Si vrigogna a passari la prima notti in un albergo».

'St'urtima pritisa non dispiacì a 'Mbembè.

Se quella straparlava di sacrificio, capace che si sarebbi mittuta a fari voci da agneddro scannato e avrebbi fatto succediri un quarantotto. Macari sarebbiro 'ntirvinuti i carrabbineri.

«Vabbeni, accetto tutto. Le facissi sapiri che la luna di meli la faremo nella mè villa 'n campagna a Montidoro. Doppo 'na simana torneremo a Vigàta».

«'Sta picciotta ti farà trivuliare» dissi Mariastella quanno vinni a canuscenzia delle volontà di Michela. «Non ti conveni lassarla perdiri e circaritinni 'n'autra? Avresti un misi di tempo, come ti dissi il notaro e ci sarebbi...».

«No» troncò netto 'Mbembè.

Mariastella e Gegè lo taliaro 'mparpagliati.

«Che ti succedi?» spiò Gegè.

«Succedi che... ogni vota che la vio... accussì contignosa, accussì 'ndiffirenti verso di mia, accussì distanti che pari che manco s'adduna che ci sugno, io...».

«Ti nni sei 'nnamurato?!» sclamò Mariastella.

«'Nnamurato 'nnamurato no, ma... pigliato, ecco, sì».

E siccome l'autri non dicivano nenti, continuò:

«È 'na speci di sfida. Voglio rompiri 'u muro di ghiazzo darrè al quali s'arripara».

«Ma tu che speri d'attrovari darrè a quel muro?» fici ironico Gegè. «Un vulcano?».

«Un vulcano, no, ma un focherello che duna bon calori sì».

«E pirchì secunno tia Michela terrebbi 'st'atteggiamento?» addimannò Mariastella.

«Pirchì si scanta di se stissa».

Calò silenzio. Po' Gegè dissi:

«Mischina».

«La compatisci?» spiò 'Mbembè.

«Essì» arrispunnì Gegè. «Pirchì se ti sbagli e veramenti Michela non senti nenti di nenti per l'òmini, dovrà patiri le peni di lo 'nferno tra le tò vrazza».

'Mbembè arridì. Mariastella sorridì, Gegè ristò serio.

Duranti il sacrificio, Michela non sulo non fici voci, non si lamintiò, ma non spiccicò manco 'na parola.

Rassignata, fu 'na cosa inerti tra le vrazza di 'Mbembè.

Il quali s'addunò che lei chiangiva silenziusa sulo pirchì si sintì vagnare il petto dalle sò lagrime.

Per tutto il tempo che ristaro a Montidoro, appena che Michela si 'nfilava sutta le coperti si mittiva a chiangiri preventivamenti.

Quanno 'Mbembè s'apprisintava, 'u cuscino sutta alla testa di sò mogliere era completamenti assammarato.

E spisso Michela, doppo, si susiva di cursa e si nni annava a vommitari.

E siccome che la cosa continuò macari quanno tornaro a Vigàta, capitò che 'Mbembè principiò a patiri un finomino.

Partiva 'ntusiasta ma a un certo punto, di colpo, com'è e come non è, gli viniva a mancari la gana.

Prioccupato, annò dal dottori Melluso ch'era uno specialista. Il quali lo visitò e l'attrovò a posto. Po', siccome che macari a lui era junta all'oricchio la facenna delle condizioni volute da Michela, lo 'nvitò a parlari apertamenti.

'Mbembè gli contò ogni cosa, concludenno:

«Epperciò, dottori, a mia mi sta accomenzanno a pariri di partecipari ogni notti a 'na veglia funebri e di conseguenzia...».

«Capisco».

E il dottori, per mantinirlo sempri col fucili pronto a sparari, lagrime o non lagrime, oltri a 'na serie di 'gnizioni, gli ordinò di mangiarisi ogni jorno 'na bistecca al sangui con supra un ovo.

La cura ottinni diversi risultati.

# Tre

Il primo risultato fu che ora le lagrime di Michela non facivano cchiù nisciunissima 'mpressioni a 'Mbembè. Anzi, va a sapiri pirchì, gli raddoppiavano la gana.

Il secunno fu che il, dicemo accussì, munizionamento farmacologico e mangiareccio di 'Mbembè era talmenti eccessivo che lui sintiva pripotenti, irresistibili, la nicissità assoluta di continuari a sparari a ripetizioni, naturalmenti fora dal sò ligali tirritorio di caccia, puro nelle tri notti libbire dall'impegno coniugali.

Ma il dottori Melluso, appena che 'Mbembè gli nni parlò, glielo sconsigliò vivamenti, spiegannogli che il forzato e alternato divieto di caccia avrebbi aumentato notevolmenti il potenziali di foco ottinenno accussì cchiù probabilità di inchiri il carneri.

Sicché annò a finiri che 'Mbembè, il quali fino a quel momento aviva prociduto con inesausto 'mpegno, questo sì, ma senza disiderio, ora s'avvintava supra a Michela come 'n'aquila affamata supra a un agniddruzzo trimanti.

E l'agniddruzzo, che già di pititto ne aviva picca, 'n seguito a quei violenti attacchi notturni, lo persi completamenti e principiò a 'nsicchiri e a trascurarisi.

Caminava casa casa che pariva 'n'anima persa, non arrivolgiva la parola a nisciuno della servitù e ogni tanto si mittiva a chiangiri abbannunannosi supra a 'na seggia e macari 'n terra se seggia non c'era.

'Mbembè s'apprioccupò e nni parlò con Mariastella e con Gegè. I quali si misiro a completa disposizioni.

E accussì non passava jorno che l'uno o l'autra non annassiro ad attrovari a Michela.

La quali, soprattutto dalla vicinanza di Gegè, ne traiva conforto, macari se le cose ristavano com'erano.

Ma il problema vero s'apprisintò quanno, doppo tri misi di matrimonio, di un figlio non si vidiva all'orizzonti manco l'ùmmira.

Possibili che c'era qualichi cosa che non funzionava in Michela? s'accomenzò a spiare 'Mbembè.

E se putacaso Michela non era capaci di fari figli, la facenna come si mittiva dal punto di vista tistamintario?

Pigliato da un dubbio atroci, 'Mbembè lassò perdiri quello che stava facenno e annò a parlari di cursa col notaro.

Il quali gli dissi che in questo sfortunato caso ritiniva che non ci sarebbiro stati problemi ma abbisognava assoluto che l'incapacità di Michela vinissi attistata da un autorevoli cirtificato medico e non da 'na mammana qualisisiasi.

Quanno Michela apprennì da sò marito quello che aviva ditto il notaro, si misi a fari catunio.

«Chiuttosto che farimi visitari da un dottori mi ghietto dalla finestra» concludì arresoluta.

'Mbembè non attrovò di meglio che prigari a Gegè di provari a convinciri a Michela della nicissità di quel cirtificato.

Gegè però aviva 'mparato come funzionava la testa di Michela ed essenno profissori di filosofia le arriniscì a fari con calma e ducizza un raggiunamento convincenti.

«È sbagliato fari come stai facenno. A tia, macari se ti costa assà, fariti visitari ti conveni».

«Spiegami pirchì».

«Il dottori non pò diri che dù cose: o che sei a posto e puoi aviri figli o che non lo sei e figli non nni puoi aviri. Giusto?».

«Giusto».

«Nel primo caso purtroppo non hai che da portari pacienza, stringiri i denti e aspittari che resti 'ncinta. Ma nel secunno caso faresti sàvuti dalla filicità, sarebbi la tò libbirazioni».

«E pirchì?».

«Semprici. Pirchì 'Mbembè, con quell'attistato del dottori 'n mano, non avrebbi cchiù di bisogno di fariti fari un figlio e ti lasserebbi finalmenti 'n paci».

Michela si pirsuadì 'stantanio e si nni annò con 'Mbembè a Palermo per farisi visitari da un dottoroni. Il quali, doppo 'na visita che durò dù jorni, misi nìvuro supra bianco che la signura era 'n perfetti condizioni e che potiva fari tutti i figli che voliva.

Alla notizia, Michela si misi a chiangiri alla dispirata.

Fu a 'sto punto che 'ntirvinni novamenti Gegè. E stavota senza essiri sollecitato da nisciuno, mosso sulo dall'affetto che oramà provava verso quella povira 'nfilici.

«Michela, stai attenta che, secunno mia, bona parti del fatto che non ti venno figli è colpa tò».

«Mia?!» sbalordì Michela. «Ma con quali coraggio parli accussì? Tu le cose le accanosci! Ma se non mi sono mai arrefutata! Se non gli ho ditto no 'na vota che è 'na vota!».

«Tu gli hai ditto sempri di no» ribattì sorridenno Gegè.

«Ma che dici?!».

«Michela, tu a 'Mbembè ti sei assoggittata dannogli solamenti il corpo tri vote la simana».

«E ti pari picca?».

«Non dico che è né picca né assà. Dico che trovo assurda 'sta regola dei jorni stabiliti e con tanto d'accordo scrivuto. Cose di pazzi! E lo sai pirchì l'hai voluta 'sta regola? Pirchì tu arrefuti prima di tutto a tia stissa la maternità. Un figlio si fa in dù, ma non sulo pirchì dù corpi si trovano e si congiungino. Un figlio non si fa sulo con la carni, ma macari col sintimento».

«Tu mi stai dicenno che dovirria volirigli beni?».

«Non a lui, a tia».

«E lui a mia mi nni voli? Io per lui sugno come un'otri che si devi inchiri e basta!».

Non le si potiva dari torto. Allura Gegè nni parlò a sò soro Mariastella.

La quali, appena che ebbi l'occasioni di ristari sula con 'Mbembè, gli nni parlò.

«Te l'arricordi che 'na vota mi dicisti che volivi abbattiri 'u muro di ghiazzo darrè al quali s'ammucciava Michela? Sì? Allura ti dico che stai sbaglianno tutto. Quel muro non lo spircirai mai e ti nni renni conto da tia stisso. Devi cangiare modo. Non ti dico che le devi voliri beni, ma trattarla con la stissa gintilizza con la quali di sicuro trattavi le buttane che friquintavi, questo sì! Passati 'na mano supra alla coscienzia. Hai mai avuto un pinsirino per lei? Che saccio, un rigaluzzo per il sò complianno, un mazzo di sciuri per la ricorrenza del matrimonio... Persino ai cani si fa 'na carizza ogni tanto! Se minimo minimo arrinesci a fariti voliri tanticchia beni, vedrai che 'u figlio ti lo fa».

'Mbembè fici quello che gli aviva consigliato Mariastella. Ma Michela accapì che si trattava di semprici tiatro.

E forsi per questo motivo non cangiò nenti.

Per viniri 'n aiuto della figlia, donna Ciccina fici organizzari a don Cosentino 'na missa sullenne seguita da 'na processioni altrettevoli sullenne e pirchì la Madonnuzza facissi la grazia a Michela.

E po', per maggiormenti garantirisi la benevolenzia della Madonnuzza, per 'na simana 'ntera detti a mangiari a tutti i povireddri di Vigàta e dei dintorni.

Ma alla Madonnuzza da un orecchio ci trasì e dall'autro ci niscì se, passati novanta jorni, la situazioni non cangiò.

E ammancavano cinco misi per completari l'anno.

A 'sto punto le condizioni di Michela pejoraro.

Ora, doppo la consumazioni del doviri coniugali, chiangiva singhiozzanno fino a quanno si faciva jorno. 'Mbembè, che con quella rumorata non arrinisciva a chiuiri occhio, si fici priparari 'na càmmara sparte indove si nni annava a corcari ogni notti, sia che ci fusse stato il rapporto sia che non ci fusse stato.

Morta di sonno com'era, mangianno picca e nenti, addivintata sicca come a 'na sarda salata, Michela non ci stava cchiù con la testa. Se uno gli diciva 'na cosa, se la scordava 'mmidiato.

E accussì 'na matina, annata 'n cucina per vivirisi un bicchieri d'acqua, scangiò buttiglia e si vippi dù dita di varichina. Era talmenti stunata che non nni avvirtì l'adori pungenti.

Arriniscero a salvarla allo spitali di Montelusa.

Ma per una misata le vinni difficoltoso assà agliuttiri pirchì la varichina le aviva abbrusciato il cannarozzo.

Però mezzo paìsi non criditti allo scangio 'nvolontario e si fici pirsuaso che Michela aviva tintato d'ammazzarisi.

«Quella un figlio a 'Mbembè non glielo darà mai!» proclamò al circolo il profissori Cannarota.

«Ah! Ah!» arridì il raggiuneri Joculano. «E io mi joco i cabasisi che entro il periodo stabilito Michela sarà prena!».

Si raprirono le scommisse.

«Quelli dello spitali sono stati i meglio jorni da quanno mi sono maritata» confidò Michela a Gegè appena che vinni riportata 'n casa.

Mosso da 'na compassioni 'nfinita, Gegè allargò le vrazza e per la prima vota l'abbrazzò. Michela gli posò la testa supra al petto e si sciogli in un chianto quieto, da picciliddra racconsolata.

Ma da quel jorno Michela accomenzò a patiri di firriamenti di testa e di sbinimenti 'mprovisi.

Gegè affrontò la questioni con 'Mbembè.

«Vidi che Michela è arridutta malamenti assà».

«Lo saccio, ma che ci pozzo fari se non senti raggiuni?».

«Io parlo nel tò stisso 'ntiressi. Stai attento che tutta l'intera facenna pò finiri a schifìo».

«In che senso?».

«Nel senso che se per miracolo Michela resta 'ncinta, non crio che accussì come s'attrova reggi alla gravidanza».

«Spiegati meglio».

«E che c'è da spiegari? Capaci che abortisci. E allura tu come ti metti col tistamento?».

Vero era. Non ci aviva pinsato. S'apprecipitò dal notaro. Il quali storcì la vucca.

«Il tistamento parla chiaro. Un figlio o 'na figlia entro un anno, e se 'sta criatura non c'è...».

«Ma non è dipinnuto dalla nostra volontà se 'sta criatura non ce l'ha fatta a campare!».

«Lo capiscio. Ma se io addicidissi a sò favori, le Figlie di Maria di certo potrebbiro fari causa. E con bone probabilità di vincirla».

«E allura?».

«Cerchi di fari 'n modo che la sò signura porti a termini la gravidanza».

Fici 'na pausa, taliò a 'Mbembè e gli detti la cutiddrata finali.

«Se mai gravidanza ci sarà».

'Mbembè corrì ai ripari. Volli che il quarantino dottori Saverio Isgrò, omo aducato e gentili, tornato a Vigàta doppo aviri esercitato a Milano, ogni jorno vinissi a controllari come stava la mogliere.

Michela non ebbi manco la forza d'arribbillarisi e accittò la quotidiana prisenza del medico.

Che del resto non le faciva pisari il suo essiri medico, non la visitava, non le mittiva le mano di supra, ma le spiava cosa aviva mangiato, e se non aviva mangiato la pirsuadiva gentilmenti a mangiari, le addimannava come si sintiva e quello che sintiva, la consigliava, le tiniva compagnia, le contava cose che per un momento la sbariavano dall'afflizioni nella quali era sprofunnata.

E vuoi per la jornalera prisenza del dottori vuoi per l'altrettevoli compagnia quotidiana di Gegè, come fu e come non fu, Michela accomenzò rapidamenti a migliorari.

Il signo che qualichi cosa era cangiato in lei fu evidenti a tutti quanno 'na bella matina si susì, si lavò, si misi la cipria e si passò un filo di russetto supra alle labbra.

Meno evidenti foro autri signali, pirchì capitaro in càmmara di letto e quindi di quelli s'addunò solamenti 'Mbembè.

Michela si livò il cammisone di tila grezza e spissa

con il quali usava corcarisi da quanno si era maritata e l'assostituì con una normali cammisa da notti.

E non protestò quanno la mano di 'Mbembè ci si 'nfilò sutta.

Inoltri Michela, doppo avere sottostato al doviri coniugali, ora non chiangiva cchiù.

Anzi, si votava di scianco e s'addrummisciva di colpo e profunnamenti.

## Quattro

Vinniro ad ammancari sulo setti jorni alla scadenzia dell'anno. 'Mbembè oramà ci aviva pirduto le spranze e non arrinisciva a rassignarisi all'idea che il prima possibili si sarebbi dovuto mittiri a travagliare per mantiniri se stisso e la mogliere.

Ma 'ndove si potiva 'mpiegari se non sapiva fari nenti? Non aviva studdiato, non s'era mai applicato a nisciuna cosa all'infora delle fìmmine, non sapiva tiniri un libro di conti. Massimo massimo, avrebbi potuto fari 'u miccanico, pirchì di atomobili si nni 'ntinniva, ma non era disdicevoli che uno come a lui s'allordasse le mano di oglio di machina?

Ma la matina del sesto jorno Michela, che tempo un misi e mezzo era arrinisciuta a stari meglio di prima di maritarisi e anzi tutti l'attrovavano cchiù beddra di quanno era schetta, mannò a chiamari a Mariastella.

Al sulo vidirla, Mariastella accapì. La facci le s'illuminò.

«Aspetti?».

«Sì».

Le dù fimmine s'abbrazzaro, arridero, chiangero, abballaro, cantaro.

Po' Mariastella spiò:
«Glielo dicisti a 'Mbembè?».
«Prima voglio essiri sicura al cento per cento. Accompagnami dalla mammana».
Quella confirmò: 'ncinta di dù misi.

Michela lo dissi a 'Mbembè qualichi ura appresso mentri che si nni stavano a tavola.
«Di dù misi sugno».
«Ah, sì?» fici 'Mbembè continuanno 'ndiffirenti a mangiari.
Non aviva accaputo. O se aviva accaputo, il sò ciriveddro si era arrefutato di cridiri a quello che aviva sintuto.
«Sugno 'ncinta di dù misi» arripitì Michela.
La notizia finalmenti arrivò a 'Mbembè.
Stava vivennosi un bicchieri di vino. Perciò il cannarozzo gli si chiuì di colpo facennogli nesciri il vino dalle nasche e a momenti dall'oricchi. Po' tintò di susirisi addritta, ma le gamme gli erano addivintate di ricotta e perciò cadì 'n terra mezzo sbinuto.
La nova che Michela aspittava in un fiat si sparsi paìsi paìsi. Patre Cosentino fici sonari a festa le campani. Quelli che avivano scommittuto che 'Mbembè, tanto avrebbi fatto e tanto avrebbi ditto, che Michela un figlio glielo faciva, vincero 'na varcata di dinaro.
'Mbembè, subitaniamenti arripigliatosi, corrì dal notaro con un'attestazioni del dottori Isgrò, controfirmata dalla mammana, nella quali s'addichiarava che Michela era gravita. Il notaro allura stabilì che finalmen-

ti era tutto 'n regola e di conseguenzia 'Mbembè addivintava liggittimo e unico eredi senza che le Figlie di Maria potissiro minimamenti rapriri vucca.

'Na simanata appresso, 'Mbembè detti 'na gran festa alla quali parteciparo mezza Vigàta e mezza Montelusa.

Michela, la fistiggiata, era la cchiù beddra di tutte le fìmmine prisenti. E a chi glielo diciva complimentannosi, arrispunniva con un dolcissimo sorriso:

«È 'u miracolo della maternità».

Naturalmenti 'Mbembè, dal momento della conferma della gravidanza, aviva lassato 'n paci alla mogliere.

Ma l'effetti dell'eccessivo munizionamento si facivano sentiri ancora epperciò lui aviva bisogno di 'na gran battuta di caccia.

Di conseguenzia, dù jorni appresso alla festa, affidata Michela a Gegè e al dottori Isgrò, che aviva prigato di continuari a controllari la mogliere ogni jorno, si nni partì per 'gnota distinazioni e nisciuno lo vitti cchiù passiare pàisi pàisi.

Doppo un misi che 'Mbembè era partuto, Michela arricivitti un tiligramma dal marito. Viniva da Parigi e diciva:

*Trattenuto Parigi gravoso impegno impossibilitato rientrare Vigàta prima di mesi due baci 'Mbembè.*

Il gravoso 'mpigno si chiamava Emmanuelle ed era 'na ballarina di cafè cantanti. Michela non lo sapiva, ma macari se l'avissi saputo la cosa non le avrebbi fatto né friddo né càvudo.

Per non lassare sula a Michela 'n casa, Mariastella la convincì a trasfiririsi indove che bitava lei, nella grannissima villa del marito, il baronello Demicheli, appena fora paìsi. Le assignò addirittura un appartamintino con trasuta 'ndipinnenti accussì lei era libbira di trasiri e di nesciri quanno voliva e potiva mangiari da sula o 'n compagnia di Mariastella, di sò marito e di Gegè che aviva pigliato la bitudini di mittirisi a tavola con la soro e il cognato mezzojorno e sira.

Inoltri torno torno c'era 'na beddra tinuta che consintiva longhe e benefiche passiate.

La matina la viniva ad attrovari il dottori Isgrò, 'nveci il doppopranzo s'apprisintava Gegè, accussì Michela si sbariava, chiacchiariava, arridiva e portava avanti la gravidanza come meglio non si potiva.

Senonché, a 'nterrompiri 'sta paci di l'angili, arrivò, assà prima di quanto lui stisso aviva scrivuto, 'Mbembè. E la prima cosa che fici fu di riportarisi 'n casa a Michela.

Po', a Mariastella che gli addimannava il pirchì di 'sto rientro 'mprevisto, senza parlari tirò fora dalla sacchetta 'na littra e la pruì alla cuscina. Supra alla busta ci stava scrivuto il nomi di 'Mbembè e l'indirizzo dell'albergo parigino indove bitava. Il foglio dintra diciva:

*Mentri tu te la spassi a Parigi, tò mogliere fa l'istisso a Vigàta. Un amico.*

Mariastella si misi a ridiri.

«E tu vinisti per 'st'infamità? Io m'addimanno chiuttosto come ficiro a sapiri 'u tò 'ndirizzo».

«Beh, col notaro nni semo scrivuti diverse vote per facenne di l'eredità. Capace che qualichiduno si 'nformò col postino. Ma il problema è il continuto della littra».

«Ma come fai a cridirici?».

«Non è che ci ho criduto, ma non mi piaci che 'n paìsi si dici che sugno cornuto».

«Ma questa è 'na pura e semprici malignità! È 'na cosa d'aria! Michela vidi sulo a Gegè, che è come se fusse tò frati, e al dottori Isgrò che è pirsona seriissima! Con chi ti mettirebbe le corna? E indove? E come? E quanno? E po', levami 'na curiosità: da quann'è che t'importa tanto di Michela?».

«Di Michela m'importa picca e nenti, ma di mè mogliere sì. Io ho sempri fatto cornuti a l'autri e, come puoi ben accapiri, non sopporto di addivintarlo io per corpa di mè mogliere».

«Ho capito, 'Mbembè. È 'na questioni d'orgoglio. Allura non c'è che 'na soluzioni: ristaritinni ccà».

E 'Mbembè si nni ristò a Vigàta. Ma durò deci jorni. Po' ripigliò il fujuto.

Macari pirchì aviva avuto modo di rassicurarisi: sò mogliere, a parti il dottori e Gegè, non vidiva autri mascoli. Né aviva modo e tempo per vidirli.

E Michela si nni tornò nella villa di Mariastella rifacenno la vita di prima.

Com'era prevedibili, al momento che a Michela accomenzaro le dogli, 'Mbembè s'attrovava a Parigi trattinuto dai sò gravosi 'mpigni.

E il bello fu che Mariastella, pigliata dalla confusioni del momento, si scordò di mannarigli un tiligramma per avvirtirlo.

Ma manco quanno il picciliddro nascì gli mannò il tiligramma e non pirchì si nni era novamenti scordata, ma pirchì le vinni ad ammancare il coraggio.

Appena che il picciliddro vitti la luci e la mammana, doppo avirlo puliziato, lo misi supra al letto allato alla matre, sia Michela sia Mariastella, che aviva assistuto al parto, non s'ammostraro per nenti filici, anzi.

Mariastella s'assittò supra a 'na seggia e si nni ristò muta. Michela 'nveci stava con l'occhi chiusi.

Fu a 'sto punto che trasero nella càmmara il dottori Isgrò e Gegè. 'St'urtimo, appena che vitti 'n facci il picciliddro, prima aggiarniò, po' arrussicò, cimiò, votò le spalli e si nni niscì. Un minuto doppo il dottori gli corrì appresso.

La bumma scoppiò quanno amici e amiche, parenti e canoscenti, arrivaro alla villa per filicitarisi e accanosciri alla criatura.

Si comportaro tutti suppirgiù allo stisso modo.

Trasivano aguriosi e sorridenti, taliavano il picciliddro, ammutolivano di colpo, si nni ristavano muti, doppo un minuto salutavano 'mbarazzati e si nni ghivano.

Il fatto era che il picciliddro aviva tri piccole macchi scure supra alla facci e pricisamenti una 'n mezzo alla fronti e le autre dù una supra a ogni guancia.

Esattamenti addisposte come nella facci di Gegè.

Un marchio di fabbrica. Come avirici mittuta la firma.

'Mbembè seppi della nascita del figlio da 'na secunna littra anonima che diciva:

*Veni a vidiri al figlio di tò mogliere e dimmi se non avivo raggiuni grannissimo cornuto.*

Ma quanno 'Mbembè arrivò e vitti al picciliddro e subito appresso si misi a circari a Gegè col revorbaro 'n sacchetta, apprinnì che Gegè si nni era partuto per 'gnota distinazioni.

'Nterrogò a Michela ma quella lo taliò sdignusa e non arrispunnì.

Allura 'Mbembè non volli cchiù vidiri né alla mogliere né al picciliddro e si nni stetti 'nchiuso nella sò casa senza mittiri il naso fora scantannosi delle risateddre dei paisani.

Mannò sulo a chiamari al notaro per dirigli che voliva procidiri al disconoscimento di paternità.

«Allura rinunzia all'eredità?» gli spiò il notaro.

«Non nni aio la minima 'ntinzioni».

«E 'nveci ci dovrà arrenunziari pirchì il disconoscimento, ai fini del tistamento, è come se il figlio lei non l'avissi mai avuto».

'Nzumma, se diciva che il figlio non era sò, sarebbi stato cornuto e mazziato.

Stava accussì, senza sapiri che fari, quanno 'na matina gli s'apprisintò sorridenti Mariastella.

«Le macchi sunno scomparse».
«Davero?».
«Completamenti».
«E come si spiega?».
«Il dottori Isgrò dici che forsi Michela, a vidirisi sempri allato a Gegè, e sintenno il beni fraterno che lui le voliva, l'ha ricambiato stampanno nella sò criatura un signo di raccanuscenza. Se si fusse trattato d'autro, di cosa cchiù seria, dicemula tutta, nel caso che Gegè fusse stato il patre, le macchi sarebbiro ristate».
'Mbembè si convincì. Macari pirchì gli conviniva.
Allura addicidì di fari 'na gran festa di vattìo con tricento 'nvitati.
Ma il jorno avanti alla cirimonia il piccilidd ro cangiò novamenti facci.
È cosa cognita che i nicareddri, nei primi jorni di vita, ripetutamenti si stracangiano e 'na vota assimigliano al nonno paterno, 'na vota allo zio, 'na vota al nonno materno e via di questo passo.
Il dottori Isgrò aviva un purretto a forma di stiddra propio sutta alla nasca mancina. E al piccilid dro ci spuntò un purretto a forma di stiddra propio sutta alla nasca sinistra.
Stavota a fari catunio fu Gegè, il quali, rappacificatosi con 'Mbembè, avrebbi dovuto essiri il padrino.
«Sciglitivi a 'n autro per il vattìo».
«Ma scusa, Gegè» fici sò soro Mariastella. «Se il dottori Isgrò ha spiegato come e qualmenti...».
«Che lo vegna a spiegari a mia, se ha coraggio!» ribattì Gegè furioso.

'Ntirrogò a Michela ma quella lo taliò sdignusa e non gli arrispunnì.

Né Mariastella né Mbembè si seppiro spiegari pirchì da quel momento Gegè non volli cchiù vidiri al dottori Isgrò e si misi a trattari mali macari a Michela.

'Mbembè, per non fari nasciri autri chiacchiari, rimannò il vattìo di quinnici jorni spiranno che la criatura cangiasse ancora facci.

Ma le chiacchiari nascero l'istisso, a malgrado che il dottori Isgrò annassi arripitenno a dritta e a mancina che Michela si era voluta libbirari, ma senza sapirlo, di tutti i debiti di raccanoscenza, dato che lui l'aviva sempri curata con devozioni e rispetto.

Po' il purretto, accussì come era comparso, scomparse.

Per prudenzia, 'Mbembè aspittò ancora qualichi jorno. Ma non capitò nenti. O meglio, capitò che il piciliddro accomenzò ad assimigliari sempri chiossà a 'Mbembè, sino ad addivintari 'na stampa e 'na figura con lui.

Il jorno del vattìo patre Cosentino pridicò la granizza della maternità, che sarebbi la summa di ogni sintimento, amoroso e no, della fìmmina. E commovì a tutti.

L'anno appresso Michela ebbi un secunno figlio. E il finomino s'arripitì.

Prima alla criatura ci spuntaro le tri macchi di Gegè, po' il naso a becco di pappagaddro del dottori Pirrotta che aviva sostituito il dottori Isgrò il quali si nni era tornato a Milano, e 'nfini pigliò, difinitiva, la facci di 'Mbembè.

Ma stavota, 'n paìsi, nisciuno si nni ammaravigliò.

# L’asta

# Uno

Il vinti di frivaro del milli e novicento e deci, che cadiva di duminica, doppo 'na misata 'ntera di chiuvuta a retini stisi senza un jorno che fusse un jorno di 'nterruzioni, spuntò inaspittato un soli gaudioso in un celo privo di la minima nuvola.

Perciò la strata principali di Vigàta, fin dalla prima matinata, fu tutta un gran passiare tra 'nchini e scappillate, sorrisi e galantarie.

Il cafè Castiglione, il cui propietario aviva all'arba di gran prescia fatto priparari cannoli, bignè, ginovisi e cassatine a tinchitè, vinni pigliato d'assarto e la clientela aumentava via via che s'avvicinava l'ura della missa di mezzojorno.

Il panellaro Attilio assistimò la sò bancarella nello spiazzo sutta al vecchio, cadenti e da anni disabitato Palazzo Curtò, che s'attrovava propio al centro del corso, e si misi a friire le panelle davanti ai passanti accussì chi se l'accattava, 'nvogliato dal sciauro dell'oglio fritto, avrebbi potuto mangiarisille càvude càvude.

'Nzumma, 'nveci d'essiri 'na duminica qualisisiasi, pariva 'na duminica di gran festa.

’N casa del raggiuneri Emilio Nicosia finalmenti sò mogliere Concetta finì d’alliffarisi davanti allo specchio e dissi al marito:

«Pronta sugno».

Mentri che il raggiuneri stava raprenno la porta, la loro figlia unica Caterina, che aviva dù anni, comunicò che le scappava la pipì. Prima d’arrivari a nesciri, passaro ’na decina di minuti abbunnanti.

Alli dodici meno un quarto, un povirazzo di cui nisciuno ’n paìsi accanosciva come s’acchiamassi, s’avvicinò alla bancarella e spiò ad Attilio:

«Mi la fai la carità di ’na panella?».

La famiglia Nicosia ’ntanto era arrivata a tri passi dal panellaro e Caterina dissi che voliva accattata ’na panella.

«No, masannò po’ ti passa il pititto» fici la signura Concetta.

La picciliddra accinnò a mittirisi a chiangiri.

«E vabbeni» fici il raggiuneri che le voliva un beni dell’arma, avvicinannosi al panellaro con la mogliere e la figlia.

E fu in quel priciso momento che Palazzo Curtò, consumato da jorni e jorni d’acqua, all’improviso crollò, con una rumorata di tirrimoto e ’na grannissima nuvolaglia bianca che livava il rispiro.

I mascoli che passiavano, dù plotoni di sordati della vicina caserma, i carrabbineri della Stazioni, mezzo paìsi, carritteri e piscatori, portuali e marinari, tutti s’apprecipitaro a portari aiuto, sicuri che sutta alle macerie c’era ristato qualichiduno.

E 'nfatti, alla calata del soli, doppo un duro travaglio di scava e scava con pale, piconi e macari a mano nudi, i soccorritori ficiro la conta finali, che arresultò essiri di quattro morti e di 'na sopravvissuta.

I quattro cataferi erano quello del panellaro, quello con 'na panella ancora nella vucca del povirazzo che addimannava la limosina e quelli del raggiuneri Emilio Nicosia e di sò mogliere Concetta.

La sopravvissuta era la loro figlia unica di dù anni, Caterina, che per miracolo non si era fatta nenti di nenti, era sulo tutta 'mpruvolazzata che pariva 'na statua di gesso.

Il raggiuneri Nicosia, oltri a essiri 'mpiegato al comuni con un bono stipendio, quanno che si era maritato aviva arricivuto 'n doti dalla mogliere Concetta la casa indove bitavano e un grosso pezzo di terra cortivato a mennuli, frumento e favi.

Il tribunali di Montelusa stabilì che la picciliddra orfaneddra doviva essiri affidata allo zio paterno, che di nomi faciva Gaetano e che era maritato e patre di un figlio mascolo di otto anni, il quali doviva farle macari da tutori.

Gaetano Nicosia, comercianti di generi limentari all'ingrosso, era cognito 'n paìsi per quanto era tirato allo stremo, non cangiava vistito se non gli si arriduciva pirtusa pirtusa, la sò povira mogliere Filippa, che quanno annava 'n strata pariva 'na pizzenti, doviva cucinari la robba di scarto e addivintata fitusa che il marito le portava dal magazzino, e al figlio Ernesto, grasso che colava se gli era conceduto di mangiarisi 'na cosa duci ogni quinnici jorni.

Tempo tri misi dalla caduta di Palazzo Curtò, Gaetano aviva affittato tanto la casa di sò frati quanto il pezzo di terra e, a malgrado che il tribunali avissi disposto che il ricavato doviva essiri mittuto in un libretto a risparmio 'ntistato a Caterina per farici la doti, lui si nni era stracatafottuto e si sirviva di quel dinaro come se fusse cosa sò.

Quanno che Caterina fici setti anni, Gaetano, 'nveci di mannarla a scola come la stissa picciliddra voliva, allicinziò la criata che viniva ad arrizzittari la casa un jorno sì e uno no la matina per tri ure e stabilì che il sò posto vinissi pigliato dalla nipoti.

«Accussì si guadagna 'u mangiari che le damo, 'sta sfacinnata mangiapani a tradimento».

Ogni tanto, quanno Caterina, doppo aviri sirvuto ai tri 'n tavola, s'assittava finalmenti macari lei per mangiari, Gaetano la taliava, storciva la vucca e le diciva:

«Lo sai che sei laiduzza, Caterì? Cerca d'addivintari meglio, masannò nisciuno ti piglia per mogliere e io non aio 'ntinzioni di mantiniriti ancora a longo».

«Fettivamenti, non sei 'na biddrizza» faciva Filippa.

«Sì laida da fari spavento» rincarava Ernesto sghignazzanno.

Per tutta risposta, Caterina sorridiva.

Faciva sempri accussì la picciliddra, sorridiva, macari quanno arriciviva qualichi pagnittuni da Gaetano o qualichi violenta pidata o 'na sputazzata 'n facci da sò figlio Ernesto che a tridici anni era già un mezzo sdilinquenti.

«Ma 'sta picciliddra accapisce quello che dicemo?» aviva un jorno addimannato Filippa al marito.

«Non accapisce nenti, è pejo di un armàlo, pirchì l'armàli quanno li vastunii l'accapiscino e lei 'nveci no, sorridi» era stata la risposta di Gaetano.

Caterina aviva fatto appena otto anni quanno 'na matina cadì dalla scala supra alla quali era dovuta acchianare per puliziare il lampatario e si ruppi la testa.

Alla vista del sangue che le nisciva che pariva 'na funtana, Ernesto si misi a ridiri mentri Filippa, scantatissima, circava d'attagnarle la firita con un asciucamano vagnato.

Caterina, 'nveci, sorridiva.

Visto che non ottiniva nisciun effetto, Filippa agguantò la picciliddra e la portò dal dottori Scozzari. Il quali dovitti darle otto punti per suturari la firita.

Duranti tutta l'operazioni, Caterina continuò a sorridiri.

Il dottori si nni ammaravigliò.

«Ma non senti dolori?» le spiò.

«Io?».

«Sì, tu».

«Sissi, lo sento».

«E com'è che non chiangi?».

«Pirchì...» principiò Caterina firmannosi subito.

«Avanti, dimmi pirchì».

«Pirchì del dolori non m'importa».

«E di che t'importa?» tornò a spiarle il dottori addivintanno sempri cchiù strammato.

«Di nenti».

«Cretina è» 'ntirvinni Filippa.

«Non sugno cretina» reagì per la prima vota Caterina facennole un gran sorriso.

«E allura spiegami pirchì non ti 'mporta di nenti» fici il dottori.

«Pirchì io doviva moriri con mè patre e con mè matre, 'nveci ristai viva. Perciò non mi 'mporta d'ogni cosa che mi capita».

Quanno Filippa contò al marito quello che la picciliddra aviva ditto al dottori, Gaetano prima s'arraggiò per la spisa della visita medica, po' isò le spalli.

«La potivi lassare a perdiri sangue. Tanto, 'sta picciliddra è sulo un pezzo di carni senza sintimenti».

L'anno che Caterina addivintò tridicina, fu lo stisso nel quali Filippa morse abbilinata.

Siccome che Gaetano aviva portato 'n casa 'na buatta di tonnina vecchia di 'na decina d'anni, Filippa, prima d'usarla come condimento della pasta, l'aviva rapruta e, visto che fitiva, ne aviva assaggiato tanticchia per sintirni il sapori.

'Na mezzorata appresso s'arrutuliava supra al pavimento della cucina facenno voci alla dispirata per il malo di panza.

Quanno Gaetano s'arricampò attrovò a sò mogliere che era arrinisciuta strascinannosi a corcarisi, a Caterina che sorridiva e a Ernesto che ancora non si era susuto.

Per la raggia di non aviri attrovato nenti di pronto, detti 'na timpulata a Caterina, ghittò fora dal letto a

Ernesto con una pidata e s'arrefutò d'annare a chiamari al dottori.

Quanno, doppo dù jorni, s'addicidì finalmenti a mannari a Ernesto per farlo viniri 'n casa santianno per il dinaro che avrebbi spinnuto per la visita, era oramà troppo tardo.

Filippa tiniva l'occhi 'nsirrati e non arrispunniva cchiù alle dimanne. A mittirle 'na mano supra alla fronti uno se la sarebbi abbrusciata.

Il dottori allargò le vrazza.

Filippa morse accussì, senza ripigliari canuscenzia.

E Caterina ristò sula a dari adenzia ai dù mascoli.

A forza di botte e promissi di dinaro, Gaetano era arrinisciuto a pirsuadiri a Ernesto a vinirlo ad aiutari nel magazzino. Ma Ernesto, oltri a 'na discreta paga, che comunqui era la mità di quella del commisso che era stato allicinziato, aviva pattiato che si sarebbi prisintato al travaglio non prima delle novi del matino.

Caterina s'arrisbigliava alli sei, faciva il cafè e lo portava a Gaetano. Il quali alli setti e mezza si nni nisciva di casa. Caterina accomenzava ad arrizzittari e all'otto portava il cafè macari a Ernesto.

'Na matina il picciotto le aviva ditto:

«Aspetta un momento».

Si era vivuto a lento a lento il cafè, po' si era livato di supra il linzolo, ammostrannosi nudo.

«Metti la mano ccà».

«Unni?».

Il picciotto non aviva parlato, le aviva pigliato la mano e l'aviva guidata al posto giusto.

Per tutta la durata della facenna, che da allura addivintò 'na bitudini, Caterina sorridì sempri.

Il miracolo accomenzò a manifestarisi dù anni appresso.

Gaetano, mentri si stava portanno alla vucca 'na furchittata di spachetti, si firmò a mezzo, talianno 'mparpagliato a Caterina.

«Che ti facisti?».

«Io?».

«Sì, tu, cretina, staio parlanno con tia!».

«Nenti mi fici».

Gaetano non arriniscì a spiegarisi che aviva di strammo la picciotta, ma certo che qualichi cosa di strammo l'aviva.

L'accapì quanno un canuscenti, che tiniva al mircato 'na bancarella di frutta e virdura indove che Caterina annava a fari la spisa, gli dissi:

«Ma lo sapiti che vostra nipoti si sta facenno veramenti 'na gran beddra picciotta?».

Gaetano prima ristò alluccuto, po' si fici pirsuaso che il canuscenti aviva raggiuni.

Un pinsero accomenzò allura a firriarigli testa testa.

E quanno Caterina fici sidici anni addicidì di fari 'n esperimento.

La picciotteddra si era aggiustata i quattro vistiti vecchi e consunti di Filippa e ai pedi portava macari i dù para di scarpi della morta che le stavano larghi.

Ma un jorno Gaetano s'arricampò con un vistito e un paro di scarpi novi novi.

«Duminica che veni te li metti».

La duminica a matino volli che si pittinassi bona e se la portò al cafè Castiglione.

Non ci fu un omo, granni o picciotto che fusse, che non ristò affatato a taliarla. Macari quelli che passiavano con la mogliere o la zita suttavrazzo si storcivano il collo per ammirarla facenno finta di nenti.

Gaetano si sintì ralligrari il cori, l'esperimento era arrinisciuto.

## Due

Come capitava ogni duminica, finuto di mangiari, Gaetano ed Ernesto si nni annavano a farisi qualichi orata di sonno.

Gaetano dormiva insino alle quattro, Ernesto macari, ma annava a corcarisi sulo doppo che sò patre si era addrummisciuto.

La raggiuni era unica e semprici: pritinniva che Caterina gli viniva a fari quello che non gli aviva potuto fari nella matinata dato che il patre si nni ristava 'n casa.

E la picciotta, sorridenno, bidiva.

Quella stissa duminica dell'esperimento però Gaetano, doppo meno di 'na mezzorata, s'arrisbigliò di colpo a scascione di 'na gran botta d'àcito che gli abbrusciò il cannarozzo.

Si susì e s'apprecipitò 'n cucina per pigliarisi tanticchia di bicarbonato, ma non l'attrovò. Abbisognava spiare a Caterina indove l'aviva mittuto.

Ma la picciotta non era nei paraggi. Indove potiva essiri annata?

Annò nella sò càmmara ma l'attrovò vacante. Tuppiò alla porta del cesso, la raprì, ma non c'era nisciuno.

Allura passò nella càmmara del figlio, trasì, e s'appa-ralizzò, mentri che gli viniva un mezzo sintòmo viden-no quello che Ernesto si stava facenno fari da Caterina.

Ma s'arripigliò subito e s'apprecipitò, santianno e fa-cenno voci, a pigliari a càvuci e a cazzotti a sò figlio, men-tri che un pinsero tirribili gli travirsava il ciriveddro.

E se quel grannissimo disgraziato d'Ernesto si era ap-profittato sino 'n funno della picciotta?

Se l'aviva fatto, Caterina, da merci preziusa che era, addivintava 'na cosa senza valori.

Ma a malgrado delle gran botti, Ernesto nigò d'avi-ri fatto fari autre cose alla picciotta.

Però Gaetano non si fidò.

E la matina del lunidì, doppo aviri fatto dormiri a Caterina chiuiuta a chiavi e mittennosi la chiavi sutta al propio cuscino, pigliò alla nipoti e se la portò dalla mammana.

La quali, ringrazianno a 'u Signuruzzu, doppo 'na mi-ticolosa visita, rassicurò a Gaetano che la picciotta era 'ntatta, non aviva ancora accanosciuto omo.

Ma quel lunidì Gaetano non raprì il magazzino. Non si azzardava a lassari a sò figlio Ernesto sulo con Ca-terina, capace che quello, per rifarisi delle botte piglia-te, l'affirrava e la consumava definitivo.

Perciò si nni stetti a tambasiare casa casa pinsanno a come proteggiri quello che avrebbi potuto essiri un gran capitali, se saputo sfruttari bono e senza precipitazioni.

'Ntanto non avrebbi cchiù mannato la nipoti a fari la spisa al mircato. C'era il piricolo che qualichi malintinzionato la pirsuadiva ad annare con lui in un posto scognito arruvinannola per sempri.

Tanto, quella grannissima cretina non si sarebbi certo mittuta a chiamari aiuto, avrebbi continuato a sorridiri al solito sò.

Il capitali corriva piricoli da ogni parti epperciò avrebbi dovuto essiri custodito dintra a 'na casciaforti, ma lui non avrebbi potuto tinirla suttachiavi notti e jorno.

L'unica era mittirla nel collegio che le monache avivano a Montelusa, ma costava caro assà e lui non aviva nisciuna gana di spenniri tanto.

Come fari?

Fu verso la mezza che tuppiaro alla porta. Gaetano annò a rapriri e s'attrovò davanti a Gaspano Militello, il viddrano al quali aviva affittato il tirreno che era stato di sò frati.

Ogni misi Gaspano arrivava puntuali col dinaro e con un panaro di frutti di stascione.

Gaetano lo portò in una càmmara indove tiniva la contabilità del magazzino e lo fici assittare. Parlaro generico, po' tutto 'nzemmula Gaspano dissi:

«Lo sapi? Mè figlia Gersomina quinnici jorni fa fici la fuitina».

«Davero?!».

«Sissi, con un picciotto di Montelusa. Però si maritano presto, già niscero le carti».

«Beh, dato che la facenna è finuta bona...».

«Il problema arriguarda a mè mogliere Santina».

«E pirchì?».

«Pirchì Santina non avi cchiù l'aiuto di Gersomina per abbadare a sò frati Nunzio».

«Nunzio è nicareddro?».

«Ca quali nicareddro! Vint'anni fatti avi!».

«E allura?».

«Completamenti scemo è! Non sapi mangiari da sulo, devi essiri aiutato a fari i bisogni...».

Un'idea 'mprovisa, luminosa e ràpita come 'na meteora travirsò il ciriveddro di Gaetano.

La considerò e gli parse la meglio soluzioni del busillisi. Addicidì che non c'era tempo da perdiri e la dissi a Gaspano.

«E se ti procuro io un aiuto per tò mogliere?».

«E a chi mi voli dari?».

«A mè nipoti Caterina».

Gaspano lo taliò a vucca aperta, sbalorduto. Po' addimannò:

«Babbìa?».

«No».

«Ma quanto mi veni a costari?».

«Nenti. Gaspà, mè nipoti 'na trovatura è. Sapi cucinari, arrizzittari la casa, bidisci sempri, non s'arrabbia mai... Te la 'mpresto a gratis fino a quanno non si marita. Però a 'na condizioni».

«Me la dicisse».

«Caterina si nni devi stari nella tò casa 'n campagna senza vidiri a nisciuno. È tassativo, non devi vidiri a nisciuno all'infora di tia, di tò mogliere e di Nunzio».

«Ma a cu voli ca vidi? Nisciuno veni da noi».

«Ma tò figlia però la fuitina la fici».

«Ma quello fu pirchì mannai per un jorno a Gersomina a Montelusa da mè soro e ddrà accanoscì a 'sto picciotto che...».

«Allura d'accordo» tagliò Gaetano. «Ogni sabato doppopranzo io me la vegno a pigliare e la duminica sira te la riporto».

«Vabbeni, ma la picciotta chi nni pensa?».

«Aspetta» fici Gaetano.

Si susì, raprì la porta e chiamò a Caterina.

«Senti, sei cuntenta se oggi stisso ti nni vai 'n campagna 'n casa di 'sto signori per abbadare a sò figlio che è bisognevoli d'adenzia?».

Caterina sorridì.

Il sabato che vinni Gaetano annò a pigliare 'n campagna a Caterina, la portò 'n casa, la fici lavari, pittinari e vistiri bona e po' l'accompagnò dal fotografo Randisi col quali aviva già parlato.

Era 'na spisa fari fari vinti copie della fotografia, ma era 'na spisa nicissaria.

Di ritorno, Caterina ebbi la sorprisa d'attrovari 'n autro vistito urtima moda e un paro di scarpi novi, 'nzemmula a un cappillino e a 'na borsetta aliganti.

«Provati 'u vistito pirchì dumani te lo devi mittiri».

Gli stava tanticchia largo di scianchi. Caterina se l'aggiustò e l'indomani a matino Gaetano se la portò a spasso per il corso.

Ma come aviva fatto in una simanata appena ad addivintari cchiù beddra? si spiaro i vigatisi.

Il soli della campagna aviva dato alla sò pelli come 'na doratura liggera liggera.

Don Agatino Rosaspina, che in giovintù era stato un viveur, come si diciva all'ebica, e che aviva friquintato macari le sciantose parigine, al vidirla passari mentri che si nni stava assittato al cafè Castiglione con tri amici, si susì sullenne, si livò la paglietta e le fici un inchino proclamanno che mai e poi mai, nella sò esistenzia, aviva viduto a 'na picciotta di tanta sopraffina biddrizza.

Quelle paroli foro come 'n'incoronazioni.

Seguitanno la 'ntisa fatta, e pagata, con Gaetano, il fotografo Randisi, che allato alla porta dello studdio tiniva 'na vitrina con le meglio fotografie, le livò tutte, al loro posto ci assistimò ad aliganti cascata 'na longa pezza di villuto virdi e supra ci appuntò l'ingrandimento della fotografia di Caterina.

Gaetano per picca non sbinni per la contintizza quanno, annanno nel doppopranzo da Randisi per ritirari le copie, s'addunò che davanti alla vitrinetta ci stavano 'na decina di mascoli che taliavano, affatati, la fotografia.

La matina appresso, che Gaetano aviva appena isato la saracinesca, nel magazzino s'apprisintò donn'Amalia Rizzo, 'ntisa «la cummareddra», la cchiù accanosciuta sinsali di matrimoni di tutta Vigàta.

Siccome che ancora non c'era nisciun clienti e dato che sarebbiro potuti arrivari da un momento all'autro, donn'Amalia non ci persi tempo a trasiri 'n argomento.

«Voi l'accapistivu pirchì sugno vinuta ccà?».
«L'accapii».
«Allura datimi 'na fotografia di vostra nipoti. Io la fazzo vidiri e v'assicuro che le attrovo un bono partito».
Gaetano si misi a ridiri.
«Vi lo potiti scordari» dissi.
«E pirchì?».
«Pirchì voi non siti all'artizza».
«Io non sugno all'artizza? Io che fici maritari a don Sasà Spagnolo con Maria Ciancimino? Io che...».
«Parlamonni chiaro» l'interrompì Gaetano «che bono partito le potiti procurari? Un comercianti come a mia? Un possidenti di cinco sarme di terra e di 'na casuzza? Non mi faciti arridiri! Nisciuno, ccà a Vigàta, è 'n condizioni di maritarisilla».
«Ma a voi che vi costa darimi 'na fotografia?».
«A parti che mi costa, non vi la dugno lo stisso pirchì sarebbi 'na copia persa».
Trasì il primo clienti e donn'Amalia si nni annò murmuriannosi.
A Gaetano non dispiacì quella visita che gli aviva pirmittuto di fari sapiri a chi era 'ntirissato che la basi d'asta sarebbi stata àvuta 'n partenza.

Furono tanti i vigatisi a notari nella duminica appresso che i tavolini all'aperto del cafè Castiglione erano squasi tutti occupati da genti forastera. Lo stisso priciso 'ntifico di quanno 'n paìsi c'era la festa di San Calorio.

Sulo che stavota l'occupanti dei tavolini, a diffirenzia di quelli della festa, si vidiva a prima vista che erano tutti genti ricca, e da come parlavano e da come vistivano.

E la cosa che cchiù satava all'occhio era che tra di loro non c'era nisciuna fìmmina.

Si dovivano accanosciri, pirchì si salutavano, si sorridivano, si parlavano.

Ma tutto 'nzemmula, come per un colpo di bacchetta magica, addivintaro tutti statue: nisciuno cchiù parlò o arridì, calò silenzio assoluto.

Nel corso era comparsa Caterina, sorridenti suttavrazzo allo zio.

Con la cuda dell'occhio, Gaetano vitti l'effetto che la nipoti aviva fatto tra quei mascoli forasteri che sicuramenti erano vinuti a Vigàta da mezza provincia sulo per vidirla e tirò un sospiro di sollevo.

L'asta era da considerarisi aperta.

Stava a lui ora manoprare con abilità 'n modo che la partita si concludissi non sulamenti guadagnannoci assà, ma macari risolvennogli 'na vota e pi sempri il problema che l'assillava e che se non l'arrisolviva l'avrebbi portato alla ruvina totali.

Picca le pirsone che accanoscivano il sò vizio sigreto. Jocatori d'azzardo come lui, che friquintavano la bisca clandistina di Nicolò Pullara che rapriva dalla mezzannotti in poi.

Tanto era tirato nella vita di famiglia, tanto Gaetano non accanosciva limiti come jocatori. Nell'urtimi dù anni non era passata 'na notti che non fossi nisciuto dalla bisca completamenti spuluto. Si era vinnuta la casa che era di Caterina, aviva perso i risparmi che tiniva 'n banca, aviva 'mpignato la casa indove bitava e il magazzino, aviva fatto debiti supra a debiti che non era cchiù 'n condizioni di pagari.

Era 'nzumma a un passo di precipitari in uno sbalanco dal quali non sarebbi stato cchiù 'n grado di riacchianare.

Perciò il capitali rapprisintato da Caterina, oltri che essiri 'na fonti di ricchizza, era l'urtima possibilità di sarvizza.

# Tre

Il lunidì addicidì di non rapriri il magazzino, di sicuro avrebbi dovuto arriciviri visite.

Lui aviva ghittato 'n mari l'amo e l'isca, i pisci avrebbiro abboccato senza perdiri tempo.

Non potiva mannari nel magazzino al posto sò a Ernesto pirchì quello era capace di mittirisi 'n sacchetta l'incasso della jornata e dirigli che non era vinuto nisciun clienti.

Però non lo voliva aviri pedi pedi epperciò si sbarazzò di lui mannannolo alla stazioni a ritirari 'na poco di casse di merci che erano in giacenza e supra alle quali c'era 'na questioni di mancati pagamenti. Ci avrebbe perso l'intero jorno.

Alli novi del matino tuppiaro e Gaetano annò a rapriri con un gran sorriso supra alla facci, ci avrebbi scommisso che si trattava della prima mezzana che viniva a fari la sò offerta.

Ma il sorriso gli scomparse subito pirchì davanti a lui ci stava un omo, un omo che purtroppo accanosciva beni.

Sicco sicco che pariva la morti caminante, àvuto tanticchia meno di dù metri, le labbra storciute in un ghigno che ammostrava i denti, tutto vistuto di nìvuro.

«Bongiorno. Pozzo trasiri?».

«S'accomidasse».

Lo fici assittare 'n salotto. C'era tanticchia di pruvolazzo supra al divano, al tavolinetto e alle pultrune dato che aviva pigliato 'na cammarera, ma la faciva viniri 'na vota a simana.

Però l'omo non ci abbadò, del resto non si taliò manco torno torno, non livò mai l'occhi da supra a Gaetano.

Il quali, sutta a quei dù occhi fermi come le vucche delle dù canne di un fucili, accomenzò a sudari.

«Ci pozzo offriri un cafè?».

«Non aio tempo da perdiri» dissi brusco l'omo continuanno a taliarlo occhi nell'occhi «e vossia ne avi meno di mia».

Gaetano si sintì aggilari.

Era cosa cognita in tutta Vigàta che Cicciuzzo Quagliata non era omo sgherzevole ma omo di conseguenzia, 'mpristava dinaro a strozzo e providiva pirsonalmenti a convinciri a chi non lo voliva o non lo potiva cchiù pagari.

Si diciva 'n paìsi che a uno aviva cavato un occhio, a 'n autro aviva romputo un vrazzo, a un terzo gli aviva livato i denti a uno a uno con una tinaglia...

E lui, Gaetano, tiniva il cravoni vagnato, in quanto aviva satato 'na rata di pagamento.

E la maggiori parti del debito ce l'aviva propio con Cicciuzzo. Sarebbi stato meglio avirlo col diavolo.

«Vinni per arricordarici 'na cosa» dissi l'omo.
«Non ce n'è di bisogno che me l'arricorda».
«Allura non se lo scordò?».
Meglio dirigli la virità, jocari a carti scoperti.
«No».
«Veni a significari che non avi il dinaro?».
«Esattamenti».
I denti di Cicciuzzo si scoprero chiossà. 'Na ruga profunna gli si formò supra alla fronti.
«Cosa gravi è».
«Lo saccio».
L'omo si susì di colpo mittennosi 'na mano 'n sacchetta e Gaetano atterrito fici un sàvuto narrè, parannosi con un vrazzo come aspittanno 'na cutiddrata che gli avrebbi tagliato la facci.
«Si scantò?».
«Beh...».
«Vossia non si devi scantare, piccamora. Si devi scantare appresso, se manca 'n'autra rata. Per quella passata, facemo accussì. Ora vossia rapre il magazzino e io arrivo con un carretto e mi piglio la merci equivalenti alla rata scaduta».
Questo non lo potiva pirmittiri, non avrebbi cchiù potuto guadagnari 'na lira. Allura Gaetano, con la forza della disperazioni, si ghittò davanti a Cicciuzzo 'n ginocchio, promittennogli chiossà di quanto gli doviva se gli dava tri misi di tempo.
«E pirchì?».
«Pirchì aio un'asta 'n corso».
Gli spiegò di che si trattava.

E Cicciuzzo, che aviva viduto a Caterina passiare proprio il jorno avanti, e non aviva criduto ai sò occhi, si fici prigari tanticchia ma alla fini gli conceditti i tri misi.

«Però, attento, se a tri misi vossia non paga quanto stabiluto... zac!».

Si passò il pollici torno torno al coddro e si nni niscì.

Gaetano dovitti corriri al cesso.

La prima sinsala che arrivò 'n matinata fu gnà Mariannina Persico vinuta apposta da Montelusa, la secunna fu Mimmina Galatioto di Fiacca. Mariannina vosi quattro fotografii, Mimmina si nni portò appresso tri.

Nel doppopranzo s'arricamparo donna 'Ngilina Pontidoro da Sicudiana e la zà Minica Torregrossa di Montallegro. Con le dù fìmmine si nni partero autre sei fotografie.

Alla scurata comparse 'nveci, picca prima che Gaetano si mittissi a tavola, 'u parroco di Vigàta, don Vincinzino Agliotta.

Macari lui vosi 'na fotografia. Ma non volli assoluto arrivilari a chi l'avrebbi fatta vidiri.

Tutte e quattro le sinsali gli avivano arrivolgiuto la stissa dimanna:

«E in che consiste la doti della picciotta?».

La risposta era stata uguali per tutte e quattro.

«La doti consiste nella sò biddrizza e basta».

E a tutte e quattro Gaetano aviva voluto spiegari chiaro come stavano le cose, 'n modo che non ci fussero equivoci.

«Doviti considerari la facenna diversamenti dal solito. A mia non mi 'ntiressa se il futuro marito di mè nipoti è picciotto o vecchio, malato o sano, schetto o vidovo con figli, se manisco o galantomo. Voi mi doviti pinsari come a uno che possedi un quatro di valori e lo metti all'asta. 'Na vota che il quatro è stato accattato, non m'importa se il novo propietario lo mette 'n mustra o se lo teni chiuso 'n cantina, se l'appenni nel cesso opuro nel salotto. Chiaro? Io il quatro lo vinno al migliori offerenti. Lo cederò a chi mi farà mettiri cchiù dinaro 'n sacchetta. E tanto per non perdiri tempo, 'nformate i vostri clienti che la basi d'asta è di vintimila liri. Si paga 'n contanti e nenti cammiali».

Al parroco, che inveci non gli spiò qual era la doti, non ci dissi nenti.

Quella notti Gaetano non annò nella bisca.

Si corcò presto e s'addrummiscì subito, sodisfatto che l'asta era stata bono avviata.

La duminica succissiva Gaetano fici fari a Caterina la solita passiata addimostrativa.

Non sulo tutti i tavolini all'aperto del cafè Castiglione, ma macari quelli del cafè Grande Italia e del cafè Mannarino erano occupati da mascoli forasteri tutti vistuti aliganti.

L'età variava dai vinticinchini ai cinquantini e passa. Ed era evidenti che nelle loro sacchette il dinaro non era mai ammancato.

A vidirli da come taliavano affamati a Caterina, il cori di Gaetano s'arricriò.

Evidentementi erano i partecipanti all'asta che volivano osservari di pirsona la merci 'n vendita.

E come il lunidì passato, Gaetano si nni ristò 'n casa, doppo aviri mannato a Ernesto a Montelusa con una scusa.

La prima a prisintarisi fu Mimmina Galatioto di Fiacca. Era fìmmina di picca paroli. S'assittò e dissi:

«Il baronello Terrazzano vintidumila, la stissa offerta di don Totò Cutaja».

«Ma voi non avivavo voluto tri fotografie?».

«Sissignura».

«Non aviti attrovato a un terzo clienti?».

«L'attrovai».

«E allura pirchì non mi nni parlati?».

«Prifirisco parlarivinni doppo che aviti sintuto tutte l'offerti».

Per secunna arrivò la zà Minica Torregrossa di Montallegro. Macari lei aviva attrovato a tri concorrenti. Dù offrivano vintidumila, il terzo, che era Santo Faraci, un trentino vidovo senza figli, vintitrimila.

Gnà Mariannina Persico portò tri offerti a vintidumila e una, di Pasqualino Cipolla, quarantino bonostanti, di vintitrimila.

Donna 'Ngilina Pontidoro s'arricampò da Fiacca con le dù solite offerte di vintidumila liri e la terza di vintitrì, quest'urtima fatta da Isidoro Micciché, ricco comerciarti quarantino.

Il parroco non si fici vidiri.

'N conclusioni, 'n testa alla gara stavano a parità Santo Faraci di Montallegro, Pasqualino Cipolla da Montelusa e Isidoro Miccichè di Fiacca, che avivano tutti e tri offerto la stissa cifra di vintitrimila liri.

Fora ristanno il mistirioso concorrenti di Mimmina Galatioto.

Della situazioni Gaetano 'nformò le quattro sinsali con un biglietto che fici loro recapitari da Ernesto.

Dù jorni appresso Gaetano era appena nisciuto da casa per annare a rapriri il magazzino quanno si sintì chiamari da un signori che sporgiva la testa dal finistrino di 'na ricca carrozza ferma picca distanti. Mentri che s'avvicinava, il coccheri raprì lo sportello.

«Acchianasse».

Da dintra alla carrozza viniva fora sciauro di tabacco 'nglisi e un liggero profumo. L'omo che gli sorridiva 'nvitanti era un quarantino ricco vistuto.

Gaetano acchianò.

«Vossia mi permetti?» fici il signori pruiennogli la mano. «Sugno 'u baroni Antonello Tracima di Bellostare. Di mia di sicuro le accinnò Mimmina Galatioto».

Il concorrenti mistirioso! Si era scommodato di pirsona! Signo che ci tiniva assà a Caterina.

«La mè offerta è di trentamila 'n contanti. Non è trattabili. Né una lira di cchiù né una di meno».

A Gaetano ci ammancò il sciato.

Pinsava di chiuiri l'asta e aggiudicari la picciotta al primo ch'arrivava a vinticincomila liri.

Non feci a tempo a parlari che il baroni continuò: «Ma pagherei in dù rati».

Ennò! La facenna alle nasche sensibili di Gaetano fici subito feto d'abbrusciato.

Quello, che si sintiva sperto, gli pagava la prima rata, si portava via a Caterina, se la maritava, e la secunna rata lui non l'avrebbi viduta manco con il cannocchiali.

«A ventiquattro ure di distanzia una dall'autra» continuò 'ntanto il baroni. «Quinnicimila subito e quinnicimila il jorno appresso».

Gaetano stunò.

«Ma pirchì aviti di bisogno di 'sti vintiquattro ure?».

«Il minimo 'ndispinsabili per la prova».

«Che prova?».

«Scusati, ma se voi annate al mircato per accattarivi 'na bella anguria, non diciti al bancarellaro che la voliti a prova?».

«Certo».

«E che fa allura il bancarellaro? Piglia un cuteddro, fa un taglio a caseddra, la estrae e voi potiti vidiri l'interno dell'anguria, se è russo vivo opuro se è splapito».

Gaetano strammò.

«Scusati, ma voi voliti fari, dicemu accussì, 'na caseddra di prova a mè nipoti?».

«Vedo che aviti affirrato».

«E se per caso la 'nguria non arrisulta di vostro gusto?».

«Vi tiniti le quinnicimila liri e la rimittiti all'asta».

«Con la caseddra?! Voliti babbiare? Con la caseddra non avi cchiù nisciun valori».

Il baroni si stringì nelle spalli.

«Chista è la mè offerta. Pigliari o lassari».

«Bongiorno» dissi Gaetano scinnenno dalla carrozza.

Il baroni si sporgì dal finistrino.

«Allura, che mi diciti?».

«Che la caseddra potiti farivilla 'n culo» arrispunnì Gaetano 'nfurentito come un toro.

# Quattro

Il vinniridì doppopranzo nel magazzino comparse don Vincinzino Agliotta, 'u parroco. Pariva siddriato assà. Trasenno, manco salutò a Gaetano. Tiniva 'n mano la fotografia di Caterina e la ghittò, sdignuso, supra al banconi.

«Io voliva comminari tra vostra nipoti e un bono picciotto, serio e riligioso, ma non partecipo a un'asta, che è 'na mancanza di rispetto per il sacramento del matrimonio!».

E si nni niscì.

La cosa a Gaetano lo lassò 'ndiffirenti, non gli fici né càvudo né friddo, pirchì sapiva che la duminica entranti sarebbi arrivata la risposta delle tri sensali. La gara era oramà aperta.

Il caso però volli che s'apprisintassero tutti e tri 'nzemmula alle deci del matino. Gaetano l'arricivitti 'n salotto.

Era sulo, non era annato a pigliari 'n campagna a Caterina pirchì la cosa era addivintata inutili, non c'era cchiù bisogno d'accattarle un vistito novo e di farle fari la passiata.

Tanto la zà Minica Torregrossa quanto la gnà Mariannina Persico e quanto donna 'Ngilina Pontidoro, squasi che si fussero mittute d'accordo prima, proposiro la stissa midesima cosa e cioè che il loro clienti vinissi a parlari e a trattari direttamenti con Gaetano.

Ma lui s'arrefutò.

«Un'asta è un'asta!» sclamò. «Non è 'na trattativa privata! Le regoli vanno rispittate!».

«E allura?» addimannaro 'n coro le tri fìmmine.

«E allura non c'è che 'na soluzioni. Siccome che l'asta devi essiri pubblica, aspetto i vostri clienti ccà, la prossima duminica, alli deci del matino».

«Tutti e tri 'nzemmula?!».

«Tutti e tri 'nzemmula».

E non ci fu verso di farigli cangiare idea.

Ma il sabato avanti la convocazioni, Gaetano arricivì 'na littra da parti di donna 'Ngilina Pontidoro. Nella quali era scrivuto che il sò clienti, Isidoro Miccichè, era dovuto partiri 'mproviso per Milano indove che ci stava sò frati il quali era stato arricovirato allo spitali. Perciò nicissitava un rimanno d'almeno dù simane e per farisi pirdonari del contrattempo criato accludiva un foglio di milli liri come murta volontaria. Donna 'Ngilina aggiungiva macari che i clienti dell'autre dù sinsali erano stati avvirtuti ed erano d'accordo. Gaetano 'ntascò il foglio di milli. Non potiva fari autro che aspittari.

Doppo quattordici jorni finalmenti Isidoro Miccichè, Santo Faraci e Pasqualino Cipolla s'attrovaro arreuniti nel salotto di Gaetano. Non s'accanoscivano ed erano 'mpacciati.

Gaetano, che tutto si potiva diri di lui tranne che non sapissi vinniri la sò merci, gli fici attrovari a 'na gran guantera di cannoli e dù buttiglie di marsala forti.

Quanno, doppo un'orata, i tri accomenzaro a sgherzare e a ridiri, Gaetano accapì che era arrivata l'ura e addistribuì a ognuno di loro un foglio di carta a quatretti e 'na matita copiativa.

«Scriviti la vostra offerta senza firmarla, piegati 'u foglio e mittitilo dintra a chisto cestino».

Quanno i tri fogli ci foro tutti, chiuì il coperchio del cestino, l'agitò tanticchia 'n modo che i fogli s'ammiscassero, raprì, pigliò i tri fogli, li liggì e po' dissi:

«L'offerta massima è stata di vinticincomila liri. Sono ammittuti tri rilanci sempri scrivuti».

Il primo portò la massima a vintisetti.

Il secunno a vintotto.

Il terzo a vintinovi e cincocento.

Gaetano addichiarò chiusa l'asta. E po' spiò:

«Chi è che offrì vintinovimila e cincocento?».

Pasqualino Cipolla isò un vrazzo. Aviva vinciuto.

L'autri dù concorrenti, sdillusi, salutaro e si nni ghiero.

«Come ristamo d'accordo?» spiò Gaetano al futuro zito.

«Io a vostra nipoti ci accatto 'na villa di quattordici càmmare che appartinni al marchisi...».

Gaetano lo 'nterrompì con un gesto di fastiddio.

«Non nni semo accaputi. Io vi stavo arricordanno che, prima dello zitaggio, com'era di 'ntisa, voglio vintinovimila e cincocento liri 'n contanti».

«Sintiti» fici Pasqualino. «Io vi parlo sincero. Ora come ora vi pozzo lassari cincomila liri di caparra».

«E il resto?».

«Devo vinniri qualichi cosuzza, ci voli 'u sò tempo. Vi va beni tra quinnici jorni?».

«E se tra quinnici jorni non vi fati vivo?».

«Vi tiniti la caparra».

A 'sto punto, non potiva che consintiri. E gli firmò la ricivuta delle cincomila liri.

Ma si sintiva tranquillo, Pasqualino Cipolla pariva 'na pirsona matura, onesta e posata.

Tridici jorni appresso dù carrabbineri vinniro al magazzino e dissiro a Gaetano che il marisciallo gli voliva parlari d'urgenzia. E Gaetano li seguì 'n caserma.

Pinsava che quel gran malaconnutta d'Ernesto avissi comminato qualichi guaio e 'nveci...

«Voi accanoscite a un signori bonostanti di Montelusa che s'acchiama Pasqualino Cipolla?».

Gaetano s'arrifardiò. Che viniva a significari quella dimanna?

Di certo non portava bone nove, soprattutto se viniva fatta da un marisciallo dei carrabbineri.

«Di vista».

Il marisciallo lo taliò.

«Ma se l'accanoscivate di vista, com'è che nel portafoglio aviva 'sta ricivuta scrivuta e firmata da voi? Vi la leggio: "Io sottoscritto Gaetano Nicosia, residente a Vigàta in via Spagnoletto 4, dichiaro..."».

L'unica era fari tiatro. Gaetano si detti 'na manata 'n fronti.

«Ah, sì! Ora m'arricordo! Si tratta di l'anticipo di 'na fornitura, ma il signor Cipolla non è clienti abituali epperciò...».

Il marisciallo aggrottò la fronti.

«Ma voi non aviti un magazzino di generi limentari?».

«Sissignura».

«E pirchì Cipolla avrebbi avuto bisogno di cincomila liri di cose da mangiare? Vi rinniti conto? È 'na cifra grossa. Con cincomila liri potiva sfamari un esercito!».

«Spiatelo a lui».

«Prima lo spio a voi. E vi consiglio di diri la vera virità pirchì la facenna è seria!».

Gaetano aggiarniò. Ma che aviva comminato Cipolla? Meglio diri ogni cosa e tirarisi fora.

«Vabbè. Era 'na caparra di quanto lui mi doviva per farisi zito con mè nipoti».

«Oh santo Dio!» fici il marisciallo. «Finalmenti parlati giusto!».

«Ma pozzo sapiri che successi?».

«Successi che stanotti Pasquale Cipolla è stato ammazzato dintra al sò letto e noi stamo facenno l'indagini. E mi pari che, stanno a quanto m'aviti appena ditto, le cincomila liri li doviti restituiri all'eredi».

Gaetano chiuì l'occhi e cadì 'n terra sbinuto.

Passata 'na decina di jorni, l'asta vinni riaperta.

Nel salotto s'arritrovaro le tri sinsali, compresa la gnà Mariannina Persico che, se aviva perso a Pasqualino Cipolla, aviva 'n compenso arrecuperato un clienti scartato al primo turno pirchì aviva offerto vintidumila liri e che s'acchiamava Lullù Pingitore.

Gaetano aviva prescia di concludiri pirchì alla scadenza di tri misi concordata con Cicciuzzo ammancavano deci jorni. E quello non gli avrebbi conceduto un'ura chiossà.

Vinni stabiluto che i concorrenti si sarebbiro attrovati da Gaetano la duminica che viniva, vali a diri tra quattro jorni, che la basi d'asta ora era di vinticincomila liri e che la caparra non doviva essiri 'nfiriori alla mità della somma raggiunta.

Che era quanto abbastava a Gaetano per livarisi il debito con Cicciuzzo.

Alla duminica succissiva nel salotto s'attrovaro Santo Faraci, Lullù Pingitore e Isidoro Micciché. Ci fu la solita passata di cannoli e marsala e po' Gaetano distribuì i fogli e le matite copiative.

Il primo passaggio isò la cifra a vintiseimila.

Il primo rilancio a vintinovimila.

Il secunno rilancio a trentamila.

Non ci fu un terzo rilancio pirchì l'autri dù fogli arresurtaro bianchi. Dù concorrenti s'erano arritirati.

«Chi è stato a offriri trentamila?» spiò Gaetano.

«Io» fici Lullù Pingitore.

I pirdenti si susero, salutaro e si nni ghiero.

«L'aviti la mità dei trentamila?».

«L'aio» fici Lullù 'ndicanno un pacchetto che gli sformava la sacchetta mancina.

Ma non si cataminò.

«C'è cosa?» gli spiò Gaetano.

«Ci sarebbi».

«Parlati».

«Prima di consignarivi la caparra vorria dari 'n'occhiata alla picciotta».

«E pirchì?».

«Per vidiri se è ancora in bono stato».

«Ma che significa?!».

«Io a vostra nipoti la vitti passiare con voi 'na duminica di dù misi e passa fa. Chi nni saccio se è ancora a come la vitti?».

«Ma mè nipoti 'n campagna sta! Che voliti che...».

«Lo viditi? 'N campagna i piricoli sunno assà. La picciotta può essiri stata mozzicata 'n facci da un cani, può essiri caduta da un àrbolo e ristata ciunca di 'na gamma...».

Non che, 'n funno 'n funno, aviva tanto torto. Macari Gaetano era da gran tempo che non vidiva alla nipoti.

E po' abbisognava agguantari il prima possibili quelle quinnicimila liri e consignarle a Cicciuzzo.

«Facemo accussì. Voi vi potiti trattiniri ccà 'n pàisi fino... mittemo massimo alli sei di stasira?».

«Certo».

«Allura v'aspetto alle cinco».

Quel grannissimo cornuto d'Ernesto s'arricampò alle dù e mezza e pritinniva di mittirisi a tavola e mangiari. 'Nveci sò patre gli detti un pezzo di pani e salami rancito e 'na baligia.

«Mangi strata facenno. Devi annare a pigliare a Caterina. Nella baligia ci stanno un vistito e un paro di scarpi sò. Le dici d'alliffarisi e di vistirisi bona. Massimo alle cinco meno un quarto doviti essiri ccà».

Quanno alle cinco spaccate Lullù Pingitore tuppiò alla porta, Caterina ancora non si era viduta.

Aspittannola, Lullù spiegò che avrebbi fatto campari alla futura mogliere come a 'na vera rigina, pirchì avenno ereditato dalla nonna 'na fortuna in tirreni e case ora avrebbi potuto sodisfari ogni sò desiderio.

Finalmenti alle cinco e vinti Gaetano sintì rapririsi e chiuirisi la porta di casa. Po' 'n salotto apparse Ernesto. Aviva un sorriseddro storto.

«Ancora cinco minuti di pacienza che si duna 'na lavata e arriva».

E 'nfini Caterina arrivò. Sorridenti. Beddra come 'u soli. E come 'u soli faciva luci.

Ma quella luci non illuminò né a Gaetano né a Lullù i quali si erano addunati 'n contimporanea, appena che Caterina era trasuta, che il vistito che portava le tirava tanticchia supra alla panza.

Anzi, chiossà assà di tanticchia.

Lullù si misi a fari voci che lo volivano truffari, si vidiva benissimo che la picciotta era prena. Gaetano, arripigliatosi, sustenni che si trattava di troppo mangiari. Caterina non arrispunnì a nisciuna dimanna e continuò sempri a sorridiri.

Gaetano e Lullù concordaro che l'unica era di farla vidiri dalla mammana.

La quali dissi che la picciotta era 'ncinta di tri misi probabili di un figlio mascolo.

Quinnici jorni appresso Gaetano vinni arritrovato nel magazzino con la gola tagliata.

Caterina fu la mogliere e la 'nfirmera fideli e divota di Nunzio, per i trent'anni che lui campò, e al quali detti autri dù figli mascoli. Che criscero sani, forti, onesti e travagliatori.

# Le vichinghe volanti

# Uno

Alle primi elezioni amministrative della Sicilia libbirata e democratica, non ci fu un paìsi, dicasi uno, della provincia di Montelusa, nel quali non vincì a larghissima maggioranza un sinnaco del novo partito democratico-cristiano che aviva per simbolo lo scuto crociato.

Novo per modo di diri, pirchì prima del fascismo s'acchiamava partito popolari italiano («Pipì») e l'aviva funnato un parrino, don Luici Sturzo.

I vecchi socialisti, i comunisti tornati dal confino, i libbirali, i repubblicani, annaro tutti in minoranza non pirchì teoricamenti non avrebbiro potuto aviri i voti bastevoli a vinciri, ma pirchì i siciliani, genti sperta, avivano subito accapito da che parti tirava il vento e avivano isato la vela nel senso giusto.

«Io ci votiria vulanteri per i comunisti ma hanno difetto fituso d'essiri onesti. E in questo paìsi mallitto si va avanti sulo a forza di favori scangiati, di raccomannazioni, di càvuci 'n culo che ti portano avanti. Quelli, i comunisti, 'nveci sunno santi che non sudano epperciò è voto perso».

«I socialisti? No, non si nni parla. Che è 'sto soli dell'avviniri? Il soli sempri quello è, non è che potrà cangiare negli anni che venno! E po' non sunno catolici, non ponno vidiri i parrini, non vanno 'n chiesa. No, non è cosa. Tanto vali allura votari per i comunisti che quelli almeno ci hanno il libbiro amuri».

«I libbirali? 'Nzamà, Signuri! Che significa libbirali? Che uno pò fari quello che gli passa per la testa? Ma te l'immagini che burdello, che grannissimo casino? Mussolini che era, libbirali? Quello, se uno non faciva come voliva lui, lo spidiva 'n càrzaro e bonanotti».

«I ripubblicani? Ennò, per piaciri, Sò Maistà il Re e sò figlio Umberto non si toccano! Vabbeni, Sò Maistà si nni scappò lassanno a tutti nella merda, semo d'accordo, ma lui in primisi aviva il sacrosanto doviri di salvari la corona!».

E i parrini, tanto nel segreto della confissioni quanto dal purpito, in tutte le chiese, non avivano fatto autro che ripitiri:

«M'arraccomanno, votate per lo scuto crociato che veni a significari che siete boni cristiani e che siete divoti del Signuri, di Gesù e del Papa. E arricordatevi che dintra all'urna Dio vi vedi e Stalin no!».

Il sinnaco eletto di Vigàta si chiamava Giurlanno Piscitello ed era un medico quarantino. Non era maritato, ogni duminica si confissava e si pigliava la comunioni. Ma, a parti questo, non era omo chiesastro.

Tutti l'autri sinnaci annavano un jorno sì e uno no a colloquio col pispico di Montelusa, Sò Cillenza Emerindo Galluppi il quali era il vero capo del partito, lui 'nveci non s'apprisintava mai.

A considerarlo a distanzia di tempo, Giurlanno Piscitello fu un precursori.

Oggi come oggi non c'è il cchiù sperso paìsi che non abbia la sò spiciali sagra: dell'acquacotta, della patata, della castagna, del piseddro, del carciofolo, della fava e via di questo passo.

Lui fu storicamenti il primo in assoluto a organizzare una sagra con la partecipazioni di cantanti, orquestrine, pristigiatori e la chiamò Sagra della Sarda Fritta, datosi che all'ebica il porto era chino chino di motopiscariggi e varche a vela.

Poiché la caserma dell'esercito era stata completamenti distrutta dalle bumme miricane, lui, fatte sgombrare le macerie, si guadagnò 'na granni piazza, fici fabbricari quattro padelli giganti che ognuna per manoprarla ci volivano quattro òmini, accattò per dù jorni di seguito tutte le sarde che le varche avivano piscato e conzò 'na tavolata che non finiva mai.

Le sarde, appena friute, càvude càvude, vinivano mittute dintra a enormi piattoni da indove la genti se le pigliava con le mano e si nni mangiava quante ne vuliva, a gratis.

Doppo dù anni, i forasteri accomenzaro ad arrivari a cintinara dai paìsi vicini, dato che nei loro paìsi l'uniche feste non erano autro che processioni e novene. Pariva sempri quaresima.

Accussì la sagra, che si svolgiva il primo di settembriro, 'nveci di uno, dovitti allargarisi a tri jorni.

E di conseguenzia, spuntaro quattro o cinco bancarelli, Calorio Fiannaca si misi a vinniri il vino a un terzo del costo solito, il pani dal fornaro per l'occasioni vinni a costari la mità, arrivò macari 'na giostra.

Come sempri, il travaglio per la preparazioni della quarta sagra accomenzò deci jorni avanti, vali a diri il vinti d'austo. Stavota però i vigatisi s'addunaro subito di 'n'autra novità.

Dintra al campo sportivo della marina, gentilmenti 'mpristato al sinnaco, quattro camion con rimorchio avivano scarricato 'na gran quantità di robba di ferro che non s'accapiva a che potiva sirviri.

Qualichiduno aviva spiato al sinnaco. Ma quello si era limitato a sorridiri e a diri:

«Vedrete! Arristerete con la vucca aperta!».

Di jorno in jorno, con il travaglio di 'na decina di operai che parlavano 'na lingua stramma e con l'aiuto di 'na granni gru, tutto quel materiale pigliò forma fino a quanno 'n mezzo al campo non comparse 'na speci di cisterna giganti, cilindrica, àvuta quanto 'na casa di tri piani, che a sò vota continiva una secunna cisterna il cui diametro era di vinti metri.

Per potiri trasirici dintra, si passava sulo attraverso 'na porticeddra vascia e stritta che combaciava talmenti beni che, quann'era chiusa, non s'arrinisciva cchiù a vidiri che c'era.

Nella parti esterna della prima cisterna ci stava 'na scala di ferro che portava in cima, indove c'era un ballatoio che firriava torno torno a tutta la cisterna stissa. Accussì uno, acchianato ddrà supra, potiva vidiri tutto quello che succidiva dintra alla cisterna 'nterna.

Il ballatoio, largo tanticchia cchiù di un metro, era fatto in modo che potiva continiri trenta pirsone addritta.

Ma nisciuno però sapiva a che sirviva quella costruzioni che arricordava un gasometro però tutto chiuso.

Dagli operai non s'arrinisciva ad aviri spiegazioni, vuoi pirchì non s'accapiva un'amata minchia di come parlavano, vuoi pirchì non davano cunfidenzia. La sira si nni annavano a viviri vino nella taverna di Giuggiuzzo, ma stavano sempri in gruppo. Po' si nni annavano a dormiri in dù granni carrozzoni che si erano portati appresso.

Di prima matina del vintisetti d'austo, quanno la curiosità dei paisani era arrivata al massimo, comparsero altri dù carrozzoni che s'assistimaro in modo di fari quatrato con l'autri dù che già c'erano.

Da uno di questi, dù picciotti che s'attrovavano a passari vittiro scinniri a quattro fìmmine di 'na biddrizza tali che in vita loro non se l'erano manco insognate. Correro a dirlo a tutto il paìsi.

Il mistero vinni svilato quel doppopranzo stisso quanno strate strate spuntaro manifesti a colori che ammostravano a quattro picciotte biunne e bellissime, i lunghi capilli al vento, a cavaddro di quattro potenti motogiglette, 'na russa, 'na nìvura, 'na bianca e 'na virdi.

Sutta ci stava scrivuto:

IL GIRO DELLA MORTE!!!
Liv, Annie, Kaj, Ingrid
le quattro
*VICHINGHE VOLANTI*
*BRIVIDO! BRIVIDO! BRIVIDO!*
Ogni giorno, dall'1 al 10 settembre,
quattro spettacoli serali
con inizio alle ore 20,30 precise.
Ogni spettacolo ha la durata di mezz'ora esatta.
Non potranno essere ammessi più di 30
spettatori per spettacolo.
Prezzo del biglietto lire 10 a persona.

Il biglietto costava caro assà epperciò allo spittacolo delle otto e mezza della prima jornata ci annaro sì e no 'na decina di pirsone.

Al secunno, addivintaro vinti, al terzo trenta e al quarto ristò fora 'na fila longa di genti che si prenotò per l'indomani.

Tutti quelli che ci annaro quel primo di settembriro ne dissiro maraviglia.

Le quattro picciotte, bellissime, cchiù belle assà di quanto apparivano nel manifesto, àvute tutte uguali, un metro e ottanta, i capilli biunnissimi longhi fino a tanticchia supra il funno schina, in muta nìvura attillatissima, s'apprisintavano a una a una trasenno dalla porticina nica. Che viniva subito 'nserrata quanno erano trasute tutte.

Ognuna riggiva per il manubrio la propia motogiglietta, una Harley-Davidson.

Po', doppo aviri fatto 'n inchino al pubblico, la prima, che era sempri quella con la motogigletta bianca, 'nforcava e accomenzava a firriare torno torno alla pista circolari formata dalle pareti della cisterna e appresso le si mittivano la russa, la nìvura e la virdi.

Acceleravano sempri di cchiù fino a quanno la bianca acquistava 'na tali vilocità che le pirmittiva di accomenzare ad acchianare lungo la pareti 'nterna e darrè a lei le autre tri facivano lo stisso.

A un certo momento, tutte e quattro le motogiglette s'attrovavano a girare accussì, le rote come incoddrate alla pareti e i corpi delle picciotte orizzontali rispetto al tirreno.

La rumorata dei motori addivintava assordanti e le moto, a ogni giro, acchianavano sempri chiossà fino a vinirisi ad attrovari squasi sutta al naso degli spittatori nel ballatoio.

Appresso, ridiscinnivano verso il centro e principiavano a fari acrobazie, la virdi si mittiva a zigzagare passanno 'n mezzo alle autre ora di supra ora di sutta, la bianca e la russa s'affiancavano tanto che le dù picciotte, continuanno a corriri a quella vilocità, si passavano un vrazzo intorno al collo e procedivano accussì per dù giri.

'Nzumma, era per davero viramenti 'na cosa da bripito, come dicivano i manifesti.

Quella sira stissa, finuti tutti e quattro gli spittacoli, si formò 'na fila di picciotti di belle spranze che aspittavano la nisciuta delle quattro fìmmine.

Le vichinghe, doppo aviri lassato le moto a quattro 'nsirventi, si ritiraro dintra al loro carrozzoni e non niscero cchiù. Si vidi che cucinavano là dintra.

La matina appresso le vichinghe la passaro 'nteramenti a revisionari le motogiglette, che stavano dintra al quarto carrozzoni che era 'na speci di officina-garage, con l'aiuto di dù tecnici e po', trasute dintra alla cisterna, che l'insirventi avivano intanto puliziato centilimetro appresso centilimetro con granni scali a cannocchiali, si erano fatte qualichi giro di prova.

Il doppopranzo, passaro tri ure a fari ginnastica dintra al quatrato dei carrozzoni arriparate alla vista di tutti.

E seguitaro sempri accussì per tutti i jorni che vinniro.

Dù sole vote che niscero per annarisi a mangiari i gelati del cafè Castiglione foro accompagnate da dù operai che erano dù colossi e nisciuno fici il tentativo d'avvicinarisi.

'Nzumma, al terzo jorno, i picciotti di belle spranze pirdero ogni spranza accapenno che con le vichinghe non era proprio cosa.

Ma quella stissa matina una delle quattro, che s'acchiamava Ingrid, annò, scortata da un operaio-colosso, nel gabinetto medico del dottori Lavagnino pirchì la sira avanti si era abbrusciata la coscia mancina mentri che cucinava con un fornello a spirito. La picciotta, quanno vinni il sò turno, trasì e il colosso ristò ad aspittarla nella sala d'aspittanza.

Quanno il dottori Ciccio Lavagnino se la vitti compariri davanti all'improviso, gli ammancò il sciato. Si susì addritta che parse che gli avivano abbrusciato il culo, fici un inchino e 'nveci di stringiri la mano che quella gli pruiva, gliela vasò.

«Ah, gli italiani!» disse sorridenno Ingrid in todisco.

Era svidisa, ma fora del sò paìsi lo sò lingua non l'accapiva nisciuno.

«Noi le belle donne le veneriamo» arrispunnì il dottori macari lui in todisco.

Lo parlava pirchì aviva fatto la guerra in Africa sittentrionali 'nzemmula ai todischi che allura erano alleati.

La picciotta gli disse che si era abbrusciata e indove.

«Si levi la gonna e si stenda sul lettino» dissi il dottori.

Appena che quella ebbi bidito, il dottori, alla vista di quella grazia di Dio mai viduta prima, e diri che di fìmmine beddre ne aviva visitate tante, non ce la fici a reggiri.

«Mi scusi un momento» dissi.

E corrì 'n bagno a 'nfilarisi la facci sutta al rubinetto. Gli era parso che dintra alla testa era successa 'na speci di eruzioni dell'Etna.

Il dottori Ciccio Lavagnino era uno scapolo cinquantino cortoliddro di statura, l'occhi di pirata saracino, la facci larga e simpatica. Omo ricco, era cognito 'n paìsi per il fatto d'essiri tanticchia tirato in quanto a dinari, ma visitava a gratis i povirazzi e se c'era da dari qualichi lira per accattare un midicinali, la dava. 'Nveci era capaci di spenniri dinaro a tinchitè per fari un qualichi sgherzo ai paisani.

## Due

Come quella vota del cavaleri Antonio Adornato, comercianti di cereali all'ingrosso.

Il cavaleri, richiamato alle armi nell'urtima guerra, aviva pristato sirvizio presso la locali Capitaneria del porto, col grado di marisciallo, in qualità di tesorieri e amministratori. Data l'età, era cinquantino, aviva il pirmisso di annarisinni a dormiri nella sò casa.

Quanno, nella notti tra il novi e il deci luglio del 1943, un marinaro annò ad arrisbigliarlo per farigli sapiri che i miricani erano sbarcati a Gela, il cavaleri si vistì 'n divisa, s'apprecipitò in Capitaneria, ma non vi attrovò cchiù a nisciuno. Diserto totali, vigliato dai ritratti di Sò Maistà Vittorio Emanueli terzo e di Benito Mussolini, capo del governo e duce del fascismo. Dal colonnello comannanti all'urtimo marò si nni erano scappati tutti, compreso quello che l'aviva arrisbigliato.

Allura, consideranno che dintra alla casciaforti c'era 'na grossa quantità di dinaro, chiossà di dù miliuni e mezzo, e ritenenno sò doviri di militari di non farla cadiri 'n mano ai miricani, la raprì con la sò chiavi, pigliò il dinaro, l'infilò dintra a 'na baligetta e si nni partì con la sò atomobili per Palermo indove che c'era il Comanno.

Arrivato a pedi a Palermo, pirchì la machina era stata mitragliata e lui se l'era scansata per miracolo, seppi che il Comanno si era spostato a Messina.

Sempri tinennosi stritta la baligetta, addimannanno passaggi a camion militari talìàni e todischi, arrivò a Messina 'n tempo per sapiri che il Comanno si era spostato a Salerno.

Passò lo stritto supra a un mas della marina militari che corriva alla dispirata facenno lo slalom tra gli scoppi delle bumme e le raffiche delle mitragliate.

A Salerno gli dissiro di annare a Roma, e lui ci misi tri jorni tra treni che si firmavano in aperta campagna senza un pirchì e camion che 'nveci si firmavano strata strata con un pirchì, vali a diri per mancanza di benzina.

Ma quanno arrivò, tutti i Comanni, di terra, di mari e di celo, sinni erano scappati appresso al Re verso Bari.

E lui, votate le spalli a Roma, ripigliò la via verso il sud.

Ma la scinnuta fu pejo dell'acchianata, pirchì c'erano le pattuglie todische che circavano i militari talìàni che ora erano addivintati nimici.

Arriniscenno a non farisi pigliare dalle pattuglie, arrivò cchiù morto che vivo al Comanno e consignò la baligetta a un colonnello il quali, apertala e visto il dinaro che c'era dintra, sclamò:

«E bravo fesso!».

E gli rilassò 'na ricivuta scritta supra a un pezzo di

carta qualisisiasi, senza manco un timbro e con la firma illiggibbili.

Finuta la guerra, a scarrico di coscienzia, il cavaleri scrissi un longo e dittagliato rapporto al Comanno, ma non ebbe mai risposta. E di questo si lamintiava 'na sira sì e una no al circolo.

«Manco dù parole di ringrazio per tutto quello che fici!».

Fino a quanno 'na duminica vinni arrisbigliato dalla banna municipali che sonava sutta al sò balconi. S'affacciò.

Nella piazzetta, che si chiamava piazza Nino Bixio, oltre alla banna, c'erano 'na vintina di pirsone con in testa il sinnaco Piscitello con la fascia tricolori e il dottori Lavagnino.

Cantavano 'na strofella che faciva accussì:

*Evviva il cavaleri Adornato,*
*che il premio ha meritato!*
*Per la Patria rischiò la vita!*
*A lui onore e lunga vita!*

E po' tutti 'n coro:

«Cavaleri, scinnisse!».

«Ma sugno in pigiama» fici il cavaleri confuso e 'mparpagliato dato che non accapiva quello che stava succidenno.

«Scinnisse com'è».

E accussì il cavaleri, in pigiama a righi virdi e con le lagrime all'occhi, aviva ascutato la littura di 'na pergamena da parti del sinnaco, con la quali il Presidenti della Repubblica, per l'onestà addimostrata, lo nominava Grannissimo Ufficiali.

Titolo che fino allura non era esistuto, precisava la pergamena, ma che era stato coniato appositamenti per il cavaleri.

E po' il dottori Lavagnino gli aviva mittuto 'n mano 'na cordicella e gli aviva ditto di tirari.

E allura era caduto un pezzo di tila che stava a cummigliare la targa stratale e ne era apparsa una nova nova, di màrmaro prigiato, supra alla quali ci stava scrivuto: «Piazza Grandissimo Ufficiale Antonio Adornato».

Per l'emozioni, il cavaleri era sbinuto.

Si era naturalmenti trattato di uno sgherzo da parti del dottori Lavagnino.

Che aviva pagato di sacchetta sò la banna municipali, lo scalpellino, il muratori e 'na vintina di disoccupati.

La midicazioni dell'abbrusciatura fu per il dottori Lavagnino, al quali le fìmmine piacivano assà assà, 'na speci di supplizio.

Maniare quella carni dorata, a un tempo soffici ed elastica, morbida e nirbùsa, lo faciva sudare friddo. Per mantinirisi in grado d'intendiri e di voliri, accomenzò a ripitirisi il giuramento d'Ippocrate.

«Che fa, dottore, prega?» gli spiò tanticchia maliziusa la vichinga che aviva accaputo lo stato nel quali s'attrovava quell'omo.

E lui pronto:

«No, cara, canticchiavo».

E si misi a frischittari un motivo di Lehar, quello che fa: «È scabroso le donne studiar...».

Quanno il dottori, finita la midicazioni, accomenzò a 'nfasciarla, la vichinga dissi:

«Me la faccia molto stretta».

«E perché?».

«Dottore, le mie gambe devono avere una presa molto salda, capisce? Io devo tenere ben stretta la moto in mezzo alle mie cosce e...».

«Mi scusi un momento» fici il dottori, pigliato da 'na liggera virtigini.

E corrì 'n bagno a mittirisi la testa sutta all'acqua.

Ingrid all'indomani tornò novamenti per rifari medicazione e fasciatura accompagnata dal solito operaio-colosso.

Stavota il dottori notò l'omo e quanno Ingrid trasì nello studdio lui le disse che macari il sò zito potiva trasire con lei. Lei arridì.

«Non è il mio fidanzato. Non sono fidanzata e nemmeno le altre ragazze lo sono. Ci facciamo accompagnare per evitare d'essere importunate. Sa, in Sicilia è impossibile camminare per strada da sole. E oltretutto noi quattro non siamo ragazze facili».

«Ho capito. Ma certamente non siete neanche suore di clausura».

Ingrid arridì ancora.

«No, ma ci andiamo, come si dice da voi, coi piedi di piombo».

La vichinga era stata chiara. E fu allura che al dottori vinni, fulminea, l'idea.

La sira, al circolo, il dottori, passanno allato all'avvocato Filippo Giummarra, gli dissi a voci vascia:

«Domani matino, all'una precise, nel mio studdio. Ti devo parlari di 'na cosa 'mportanti».

Lo stisso fici e la stissa frasi usò con l'ingigneri Amedeo Loquale e col farmacista Michele Lopò.

Nisciuno degli autri soci si era addunato di nenti.

All'indomani a matino, all'una spaccate, s'apprisintaro tutti e tri.

Il dottori li fici assittare e dissi alla 'nfirmera di annarisinni a la casa e di chiuiri la porta del gabinetto medico.

«M'arraccomanno, quali che sia la cosa che devi dirici, circamo di farla alla svelta» dissi subito il farmacista Lopò «pirchì io all'una e mezza spaccate devo essiri 'n casa a mangiari con mè mogliere, masannò mi chianta un burdello che non finisci cchiù. Figurativi che già è stato difficili spiegarle come e qualmenti avivo 'n impegno doppo la chiusura della farmacia».

«E io macari pozzo stari massimo un quarto d'ura. Mi doviti scusari. Aviria già dovuto essiri tornato a la casa. Mè mogliere m'addimanna conto e raggiuni di ogni minuto che porto di ritardo e se non la convincio attacca un catunio che non la finisci cchiù» fici l'avvocato Giummarra.

«Non mi nni parlati! Per carità!» 'ntirvinni l'ingigneri Loquale. «Mè mogliere, se porto ritardo, è capace di pigliare i piatti pronti e ghittarli fora dalla finestra».

«Picciotti», li chiamò accussì il dottori a malgrado che tutti e quattro erano cinquantini, «sugno ccà a offririvi la possibilità di 'na sirata della quali vi arricorderete fino a che campate».

Tutti e tri l'amici appizzaro l'oricchi.

«E sarebbi?» spiò il farmacista.

«Sarebbi che da mia è vinuta una delle quattro vichinghe volanti che si era abbrusciata 'na coscia. Le avete vidute che meraviglia di fìmmine che sunno?».

Tutti erano già annati allo spittacolo.

Non arrispunnero a paroli, ma Lopò sospirò, Loquale fici un lamintio di cani affamato, Giummarra isò l'occhi al celo.

«Quando Ingrid è tornata, io le ho fatto 'na proposta».

«Quali proposta?» spiaro i tri in coro.

«Le ho dimannato se era d'accordo di fari 'na certa cosa 'nzemmula con le sò compagne».

«Che certa cosa?» spiò il coro al quali per la tensioni stava accomenzanno a mancari il sciato.

«Le ho proposto di fari 'na cena dintra alla cisterna, nella pista, doppo l'urtimo spittacolo di jorno deci. 'Na tavolata per otto, quattro loro e io con tre amici, pirsone di 'na certa età, fidate e serie, che sareste voi».

Calò un silenzio ginirali.

Ognuno già si vidiva abbrazzato stritto con una vichinga che lo vasava...

«E che t'arrispunnì?» addimannò doppo tanticchia Lopò tornanno supra alla terra.

«Mi disse di sì».

Giummarra si susì e si fici un balletto torno torno alla seggia, Loquale si pigliò la testa tra le mano dispirato di filicità, Lopò annò divotamenti a vasari la mano del dottori.

Appresso, Loquale fici la dimanna che tutti avivano 'n testa, ma che nisciuno osava fari:

«Ma si tratta sulo di mangiari 'nzemmula opuro si potrebbe, diciamo accussì, macari in certo qual modo ipotizzare che la sirata, appresso la mangiata, continui a coppie?».

«Si potrebbi ipotizzare pirchì nulla mi pari che osti, ma tutto resta affidato al vostro savuar fer, picciotti. Mi spiegai? Quelle sunno fìmmine libbire, se gli piacite, se gli fate sangue, se gli state simpatici, tutto è possibili. Per il sì e per il no, vi conveni viniri con le machine in modo che ognuno, se la cosa va come spiramo, si nni possa ghiri con la sò vichinga indove voli. Chiaro? Io la mia l'ho già scigliuta, è quella che si chiama Ingrid».

«Quanto ci viene a costare a testa?» spiò il farmacista che era obbligato dalla mogliere a consignarle l'incasso quotidiano.

«Nenti. Pago tutto io» fici il dottori. «La cena l'ordino al ristoranti e me la fazzo portari a mezzannotti con un furgoncino. Per facilitari le cose, sciglirò un vino forti, 'ste svidisi non lo reggino».

«Senti, per curiosità, ma come l'hai convinciuta alla picciotta?» addimannò Giummarra.

«Le ho detto che, oltre alla cena e alla bella compagnia, le avrei fatto un rigalo di quattromila liri. Considerate che loro, a ogni spittacolo, guadagnano tricento liri. Tricento per quattro fa milliducento. È il massimo d'incasso di una jornata, per loro. E io inveci gliene arrigalo milli a testa. Come potiva dirimi di no?».

«Macari questi soldi li nesci tutti tu?» spiò il farmacista volenno essiri rassicurato pirchì il dinaro era assà.

«Certamenti. Ora sta a voi diri alle vostre mogliere che doviti passari la nuttata tra il deci e l'unnici fora di casa. Se aviti bisogno del mio aiuto, io sugno a vostra disposizioni».

# Tre

Pirchì questo delle mogliere era il punto dolenti.

Diverse per aspetto, una era russa di capilli e squasi 'na nana, 'n'autra era biunna splapita e di midia altizza, la terza era nìvura come un corvo e àvuta un metro e novanta, avivano però tri punti 'n comune: erano chiuttosto laiduzze, gilusissime dei loro mariti e tutti e tri i loro nomi principiavano per A.

Adelina, la squasi nana, era la mogliere del farmacista Lopò. A parti che lui le doviva consignari tutto il guadagnato della jornata («masannò tu te lo vai a spenniri con le buttanazze»), ogni sira, quanno in bagno si spogliava per annarisi a corcare, aviva l'obbligo tassativo di passare le mutanne alla mogliere che le sottoponiva a un rigoroso esami per scopririvi tracce d'infedeltà.

La mogliere dell'avvocato Giummarra, Ausonia, era la biunna splapita.

Tanto aviva fatto e tanto aviva ditto, tanto gli aviva romputo i cabasisi, che l'avvocato era stato costretto a mettiri un cartello supra alla porta dello studdio indove ci stava scrivuto:

«Si accettano solo clienti rigorosamente uomini».

Il giomitra Costantino, annato dall'avvocato per una quistioni d'eredità, s'imparpagliò davanti al cartello.

«Che c'è, giomitra?» gli spiò Giummarra.

«C'è che, a stari al cartello, io non sugno rigorosamenti omo. Lo sapi tutto il paìsi che a mia le fìmmine non mi piacino».

«Giomitra, non c'è nisciun problema. All'anagrafi comunali, lei arrisulta mascolo».

Inoltri, la sigritaria dell'avvocato, Ersilia, era 'na spia fitusa al soldo della signura Ausonia.

Ardelia, quella longa, era la mogliere dell'ingigneri Loquale.

Il quali proggittava e costruiva case. La signura Ardelia aviva la bella bitudini di prisintarisi a sorprisa nei canteri del marito e se per caso attrovava che c'era prisenti 'na clienti picciotta e graziusa, si faciva pigliare dal sintòmo. Cadiva affacciabocconi 'n terra, allungava vrazza e gamme, e accomenzava a inarcari con violenza il corpo che pariva un sirpente arraggiato. 'Na scena 'mpressionanti.

'Na vota, cadenno, s'affirò a un pontili 'n costruzioni e lo scotì accussì forti che il pontili crollò e fici cinco firiti tra i muratori.

Però, a malgrado della strittissima sorviglianza, Giummarra e Loquale erano arrinisciuti, almeno 'na vota nella vita, ad annare con 'n'autra fìmmina, mentri Lopò un'esperienzia accussì ancora non era stato capace d'avirla.

Perciò, arrinesciri ad attrovari 'na scusa per passari tutt'intera 'na nottata fora, con mogliere simili, non era 'mprisa facili.

L'avvocato Giummarra addicidì di non diri nenti in anticipo ad Ausonia.

Avrebbi fatto 'na bella scena di tiatro la sira stissa del deci. Se l'era studiata bona ed era cchiù che sicuro che sarebbi arrinisciuta.

La sò alzata d'ingegno era stata questa: alli setti e mezza, orario di chiusura dello studdio, avrebbi ditto ad Ersilia, la sigritaria spia, di ghirisinni pirchì lui aviva ancora di finiri di scriviri 'n'arringa.

Doppo 'na mezzorata, sarebbi annato a la casa con la facci scurusa e l'ariata arraggiata.

«Che c'è?» gli avrebbi di sicuro addimannato Ausonia.

«Lassami perdiri! M'è capitata tra capo e collo 'na gran camurria! Devo passari qualichi ura stanotti fora di casa!».

«E pirchì?».

«Mi telefonò un mè clienti che è latitanti e si voli costituiri alla giustizia».

«E tu che ci trasi?».

«E questa è la camurria! Voli essiri accompagnato da mia! M'aspetta in contrata Carratello a mezzannotti. Perciò devo nesciri di casa massimo alle deci e mezza».

«Sai che ti dico? Che tu stasira non nesci e manni a catafuttirisi il tò clienti!».

«Ausò, ma tu lo sai chi è 'sto clienti? Japichino Panzazza è! Cinco omicidi tiene supra alla coscienzia! Capace che se non mi vidi arrivare, non si costituisci, veni ccà e scanna a mia e a tia. Tanto, per lui, uno cchiù uno meno che diffirenzia fa?».

A 'sto punto, ne era sicuro, Ausonia si sarebbi arrinnuta.

E pacienza che sarebbi stato costretto a cenare dù vote: una in casa e una con le vichinghe.

«Jorno deci matina devo essiri a Palermo» disse l'ingigneri Loquale a sò mogliere Ardelia.

«Pirchì?».

«È l'ultima jornata del congresso degl'ingigneri edili».

«E tu che ci vai a fari?».

«Ardè, io, secunno tia, che misteri fazzo? Il gelataro?».

«Sì, ma che nicissità hai di ghirici?».

«Mi tilefonò il presidenti in pirsona per addimannarimi d'essiri prisenti al momento del voto. Ci tiene assà a essiri rieletto. È un favori che non gli pozzo nigari».

«Vabbè, allura veni a diri che vegno con tia 'm Palermo».

Loquale aviva prividuto 'st'eventualità.

«Ardè, ma pirchì ti vuoi fari 'sta strapazzata? Io vado, voto e torno la notti stissa. Massimo massimo alli tri sugno a casa».

Se po' (macari Dio!) avissi fatto cchiù tardo, si sarebbi 'nvintato 'na scusa tipo che a mità strata gli si era scassata la machina.

Chi s'attrovava in difficortà serie era 'nveci il farmacista Lopò.

Per quali raggiuni plausibili un farmacista devi essiri obbligato a ristarisinni 'na notti fora di casa?

Si sforzava, si sforzava, gli viniva il malo di testa, ma un'idea che era un'idea non gli spuntava.

Dispirato, annò a parlari all'amico Lavagnino.

«Non arrinescio ad attrovare 'na bona scusa per Adelina. Aiutami tu, masannò devo arrinunziari».

Il dottori ci pinsò supra tanticchia. Po' dissi:

«Un'idea ce l'aviria. Ma tu 'na scena la sai recitari?».

«Che scena?».

«Metti un malo di panza tirribbili e 'mproviso. Che ti fa arrutuliari 'n terra per il dolori gridanno come un pazzo».

«Potrei provare».

«E prova» dissi il dottori.

«Ccà? Ora?».

«Ccà e ora».

Lopò scostò dù seggie per aviri cchiù spazio e po' si ghittò 'n terra facenno 'na vociata tali che trimaro persino i vetri della finestra.

«Ahhhhhhhhh!».

E mentri principiava a rutuliarisi con le dù mano tinute supra alla panza, la porta si raprì e trasì la 'nfirmera.

«Oddio! Che ha il farmacista?».

«Esci subito da qua!» le ordinò il dottori. «E 'n'autra vota tuppìa, prima di trasire, maleducata!».

La 'nfirmera, strammata, scomparse.

«Come imitazioni, è passabili» fici il dottori.

«Mi spieghi che hai 'n testa?» spiò il farmacista susennosi.

«Semprici. Tu all'otto di sira, quanno chiui, lassi la machina posteggiata davanti alla farmacia e ti nni torni a casa a pedi. Appena t'assetti a tavola, alla prima forchittata, principi a fari la scena che facisti ora ora. Mettici chiossà sofferenzia. E quanno Adelina, scantata, ti spia che hai, tu le dici di tilefonare a mia».

«E po' che succedi?».

«Succedi che io arrivo di cursa, ti visito e dico che c'è bisogno di ricoverariti allo spitale per accertamenti».

«E appresso?».

«Appresso porto a tia e ad Adelina a Montelusa con la mè machina».

«Pirchì macari Adelina?».

«Pirchì di sicuro vorrà accompagnariti. Io ti porto al pronto soccorso e il medico di guardia ti fa ricoverari».

«Ma se non aio nenti!».

«Non t'apprioccupari, tutti i medici dello spitale sunno amici mè. Basta mezza parola. Io riaccompagno ccà ad Adelina e po', verso le deci e mezza, torno a ripigliariti dallo spitale».

«Funzionerà?».

«Ci puoi giurare. Tu ti pigli la tò machina e veni all'appuntamento».

«E doppo?».

«Doppo, a cose fatte con le vichinghe, io ti riaccompagno allo spitale. E all'indomani a matino ti dimettono».

«Complicata mi pari la cosa».

«Ma è l'unica, cridimi».

Jorno deci matina, Ingrid annò a farisi l'urtima midicazioni.

«Sai una cosa, dottore? Visto il successo che stiamo ottenendo a Vigàta, abbiamo deciso di restare qua ancora fino al quindici. Sarebbe meglio spostare a quella data la nostra cena».

Matre santissima, impossibile era! Come avrebbi fatto Giummarra che aviva già contato a sò mogliere la storia del latitanti a fari marcia 'ndietro? E Loquale che a quell'ura aviva già fatto finta di partirisinni per Palermo? No, non si nni parlava. Assolutamenti. La data era stata fissata e quella doviva ristare.

«Ma non si può fare lo stesso stasera?».

«Guarda, ti voglio parlare chiaro. Noi, alla fine della permanenza in un paese, il giorno dopo abbiamo riposo perché gli operai devono smontare la pista».

«Embè?».

«Questo significa che, finito l'ultimo spettacolo, possiamo restare sveglie fino all'alba, capisci? Tanto, abbiamo tutta la mattinata per dormire. Ma se il giorno dopo abbiamo spettacolo, non possiamo né fare tardi né bere. Perché poi, in pista, non saremmo in perfetta forma, rischieremmo troppo».

«Ma i miei amici non possono...».

«Allora facciamola pure stasera, ma t'avverto che non berremo un goccio di vino e che al massimo alle due noi ce ne andiamo a dormire».

«Va bene così» dissi il dottori.

Po' raprì un cascione, pigliò 'na busta grossa e chìna china e la pruì alla vichinga.

«Che è?».

«Dentro ci sono i soldi che t'avevo promesso».
La svidisa parse tanticchia dubitosa.
«Senti, dottore, forse questi denari sono troppi».
«Perché?».
«Se avevate in mente un altro programma che questa sera non vi sarà possibile realizzare...».
Quindi la vichinga e le sò compagne avivano accapito tutto.
«Il nostro programma era quello di cenare con voi, no? Perciò non c'è stato nessun cambiamento e questi soldi ti spettano tutti».

Come giustamenti aviva pinsato il dottori, l'ingigneri Loquale si era già mittuto in viaggio. Doviva 'mpiegari il tempo fino all'ura stabilita per l'appuntamento con le vichinghe e non sapiva che fari. Forsi la meglio era arrivare veramenti a Palermo, annare ad attrovare a qualichi amico, accattare un regaluzzo per sò mogliere, mangiari, ghirisinni al ginematò e po' ripigliare la strata per Vigàta ma a lento a lento. E accussì fici.

L'avvocato Giummarra, appena trasuto nello studdio, spiò a Ersilia, la segretaria:
«Ha per caso tilefonato Panzazza?».
«Chi? Il latitante?».
«Sì. Mi è giunta voci che si vorrebbi costituiri. Portami la sò pratica».
'Na parola! Si trattava di sei faldoni ed Ersilia dovitti fari tre viaggi.

Ma l'essenziali era che se sò mogliere addimannava ad Ersilia, quella le avrebbe arrispunnuto che quel jorno l'avvocato aspittava 'na tilefonata dal latitanti.

Lopò 'nveci nel doppopranzo disse alla mogliere di sostituirlo 'n farmacia pirchì lui doviva annare col capomastro per vidiri come aggiustari il tetto della loro casa di campagna. Naturalmenti ci annò senza capomastro.

Prima controllò se la càmmara di dormiri e il bagno erano puliti e se il letto matrimoniali era conzato a doviri, cosa 'mportanti se per caso la vichinga... meglio non pinsarici, il sulo pinsero gli faciva viniri la fevri.

Po' passò 'na mezzorata a fari esercizio, cioè vociate della mala vita e a ghittarisi 'n terra arrutuliannusi.

# Quattro

Il dottori Lavagnino alle setti e mezza di sira disse alla 'nfirmera di chiuiri il gabinetto medico pirchì doviva annare a visitari a dù malati e 'nveci, appena nisciuto, s'apprecipitò al ristoranti di Giacomino Lopez.

«Tutto a posto?» spiò al propietario.

«Tutto a posto» arrispunnì Giacomino. «A mezzannotti spaccata le manno tutto col furgoncino. Ma secunno mia, dottori, vossia sbaglia».

«In cosa?».

«Nel farisi portari tutto in una vota. Mentri vi state mangianno il primo, la pasta al forno, è naturali che le sogliole fritte intanto s'arrifriddano».

«Vero è».

«Se vossia è d'accordo, io manno per prima cosa, verso mezzannotti meno un quarto, l'antipasto di mari e il vino. A mezzannotti e mezza fazzo portari la pasta 'nfurnata. All'una manno le sogliole, all'una e mezza il cafè e la cassata».

«Mi pari perfetto».

Assicuratosi che al ristoranti non c'erano problemi, si nni tornò di cursa al gabinetto ad aspittari la tilefonata di Adelina.

Si ficiro le otto e mezza e la chiamata ancora non arrivava.

Possibili che Lopò aviva recitato accussì mali da insuspittiri a sò mogliere? Il dottori accomenzò a sintirisi squieto. Po' finalmenti la tilefonata arrivò.

E tutto si svolsi come il dottori aviva previsto, ma con una variante.

«Vieni allo spitale macari tu?» spiò il dottori ad Adelina mentri arriggiva a Lopò che fingiva di non potiri stari addritta da sulo e si lamintiava.

«Che ci vegno a fari?» fici quella. «Tanto, di notti con lui non mi ci fanno stari. Doppo che gli hanno fatto l'esami al pronto soccorso, fammi sapiri qualichi cosa».

«D'accordo».

Appena che Lopò fu dintra alla machina, il dottori gli spiò:

«Pirchì Adelina mi telefonò accussì tardo?».

«Pirchì non ti voliva disturbari. Mi priparò un canarino, mi detti il bicarbonato, il bianco dell'ovo per farmi vommitare, 'nzumma le tintò tutte prima di telefonariti. E ora unni ghiemo?».

«Senza Adelina è tutto cchiù semprici. Veni nni mia».

Alle deci e quaranta alla porta del gabinetto tuppiò l'avvocato Giummarra.

Cinco minuti appresso, arrivò macari l'ingigneri Loquale.

«Aspittanno che si fa mezzannotti, facemonni un giro di briscola» disse il dottori. «Priparate le carte mentri io fazzo la tilefonata ad Adelina».

Annò nella prima entrata indove ci stava la scrivania della 'nfirmera, sollivò la cornetta, fici un nummaro.

«Adelì? Senti, a Michele hanno addiciso di tinirlo allo spitale fino a domani a matino. Ma tu puoi dormiri tranquilla, non è assolutamenti nenti di serio».

«Come pinsavo io» disse àcita Adelina. «Nenti di serio».

Il tono della fìmmina non sonò giusto al dottori. Qualichi cosa, nella voci di Adelina, l'apprioccupò.

«Che hai?».

«Che devo aviri? Sugno nirbùsa per Michele che è allo spitale. Bonanotti».

Ennò, c'era 'na contraddizioni. Se lei stissa aviva appena finuto d'arripitiri d'essiri sempri stata convinciuta che sò marito non aviva nenti di serio, di che s'apprioccupava?

«Allura, veni o non veni?» spiò dall'autra càmmara Giummarra.

Po' arriflittì che lui, avenno il carboni vagnato per l'inganno fatto ad Adelina, di certo stava danno alle paroli della fìmmina 'na 'ntinzioni che lei non aviva e non potiva aviri. Se Adelina avissi avuto un minimo dubbio, a sò marito non l'avrebbi fatto nesciri da casa manco se quello era moribunno.

«Arrivo» disse rassicurato.

A mezzannotti meno cinco i quattro congiurati raggiungero la cisterna.

Ad aspittarli c'era Ingrid che li fici trasire dintra. Gli 'nsirventi avivano priparato la tavola e le otto seggie. I cammareri del ristoranti l'avivano conzata e supra c'erano già l'antipasto e il vino. Le luci erano state quasi tutte astutate, sulo quattro riflettori erano concentrati al centro della pista. Po' arrivaro le autre tri vichinghe e il dottori e Ingrid ficiro le prisintazioni. Un insirventi chiuì la porticina che si potiva raprire sulo dall'esterno.

Òmini e fìmmine s'addedicaro alla reciproca canuscenzia mentri, ancora addritta, si vivivano un bicchieri di bianco ghiazzato.

Quanno s'assittaro, le scelte erano state fatte.

Il farmacista aviva allato a Liv, l'ingigneri a Kaj, l'avvocato ad Annie mentri il dottori già si tiniva mano con mano con Ingrid. Tempo deci minuti, accapirisi non fu cchiù un problema.

Po' tuppiaro alla porticina, Ingrid disse 'na cosa che non s'accapì, la porticina vinni rapruta e i cammareri si portaro via i piatti dell'antipasto e al loro posto misiro quelli con la pasta al forno. E visto e considerato che le quattro buttiglie di vino erano finute, ne portaro autre quattro. La pasta risultò essiri veramenti 'na squisitizza.

Alla fini della pasta, macari le buttiglie erano vacanti. Nonostanti i boni propositi da svidisi, le vichinghe trincavano a tinchitè senza rinnirisi conto che quello era un vino tradimintoso. Arrivaro le sogliole accussì granni che niscivano fora dal piatto, friute croccanti. I cammareri portaro autro vino.

Uno di loro spiò al dottori:

«Quanno torniamo con la cassata?».

«Non prima di un'orata» arrispunnì il dottori vista la filici piega che stava piglianno la sirata.

Le vichinghe accomenzaro a sintiri càvudo e il dottori le pirsuadì a livarisi la cammisetta. Ristaro in reggipetto. A 'sto punto foro i mascoli che accomenzaro a sintiri càvudo e si livaro giacchetta e cravatta.

Giummarra, che aviva 'na bella voci, 'ntonò «libiamo nei lieti calici». Il dottori si susì, fici un inchino a Ingrid e l'invitò a ballari. Tutti seguiro l'esempio, lo stisso Giummarra abballava mentri che cantava.

Oramà era chiaro che la sirata non sarebbi finuta con la mangiata, ma promittiva di meglio. Appena che il canto finì, le quattro coppie, 'nveci di lassarisi, si stringero chiossà, squasi bisognevoli di un contatto cchiù ravvicinato.

E fu in quel priciso momento che un grido acutissimo e lunghissimo, unico ma a tri voci che tra loro si fonnevano, parse viniri dall'àvuto del celo, squarcianno la notti e le coscienzie dei quattro.

«Ahhhhhhhhhhhhhhhhhhhhhhhhhh!».

Doppo un momento di comuni paralisi i quattro òmini ebbiro reazioni diverse, mentri le vichinghe, all'unisono, si ghittavano sutta alla tavola scantatissime. Giummarra, che era chiesastro, cadì 'n ginocchio recitanno l'atto di dolori; Loquale ristò nella posizioni che aviva mentri abbrazzava la vichinga e pariva un pupo di zuccaro; Lopò, pirsuaso che quella era la voci di sò matre, morta da deci anni, che dall'aldilà lo rimprovirava per l'atto impuro, si misi a chiangiri, murmurianno:

«Pirdono, mamà, pirdono!».

A 'sto punto, delle tri voci superne, fu sulo una a gridari:

«Farabbuttissimi!».

Tutti e quattro isaro l'occhi verso l'àvuto, verso il ballatoio, ma non vittiro nenti, accicati dalle luci. Ma Lopò ora aviva veramenti arraccanosciuto la voci. Non era quella di sò matre.

«Minchia, Adelina è!».

E accomenzò a corriri torno torno alla pista circanno 'na via di scampo che non c'era. E 'n autro urlo arrivò dall'alto:

«Disgraziati!».

«Matre santa, Ausonia!».

E l'avvocato Giummarra si lanciò all'inseguimento di Lopò, superannolo a mità giro.

E po' 'na terza vociata:

«Vigliacchi!».

«Ardelia!».

E l'ingigneri scattò, unennosi ai dù corridori.

Il dottori non si era mai cataminato. Immobili 'n mezzo alla pista, un pinsero lo rodiva: come avivano fatto le tri mogliere a sapiri della cena?

E subito appresso, dal ballatoio, accomenzaro a chioviri petrate accompagnate da 'nsurti firoci:

«Beccamorti! Scoscenziati! Mmirdaioli! Riddicoli! Pullicinelli! Quaquaraquà!».

Ma quante petre si erano portate appresso?

E po' le tri fìmmine avivano 'na mira micidiali. Ognuna tirava al propio marito.

Loquale, pigliato 'n testa, appena vitti il sangue del quali non sopportava la vista, sbinni.

Giummarra, colpito alla rotula da 'na speci di masso, cadì 'n terra senza potirisi cchiù susire.

Lopò, avenno tintato di 'nfilarisi sutta alla tavola, era stato respinto a pidate dalle vichinghe e, ristato allo scoperto, era stato letteralmenti lapidato.

Finalmenti gli 'nsirventi, fattisi capaci che le grida che vinivano dall'interno della pista non erano d'alligrizza ma d'aiuto, raprero la porticina. Ma troppo tardo, pirchì le tri signure avivano oramà finuto le petre e si nni erano ghiute.

Il dottori, che era stato risparmiato, disse ai cammareri del ristoranti di carricare i tri amici supra al furgoncino e di portarli nello studdio per midicarli.

Lui si nni annò avanti con la sò machina.

Dintra al furgoncino, puro lamintiannosi per le firute, i tri si spiaro come avivano fatto le loro mogliere a scopriri l'inganno.

E ci misiro picca e nenti ad arrivari alla logica conclusioni che si era trattato di 'n autro di quegli sgherzi terribili per i quali il dottori era famoso.

Di sicuro, era stato lui, macari anonimamenti, ad avvertiri ad Adelina, Ardelia e Ausonia. E le tri fìmmine si erano tra di loro appattate per pigliarili di sorprisa e farigli fari 'na grannissima malafiura.

«Appena arrivamo, l'abboffamo di lignate» dissi Loquale.

«No» fici Giummarra. «Prima nni conveni che ci facemo curari e po' lo massacramo».

L'urtimo a essiri midicato fu Lopò.

«E ora parliamo?» dissi il dottori.

«Certo» fici Giummarra dannogli un gran cazzotto 'n facci.

Mentri il dottori stava cadenno 'n terra col sangue che gli nisciva dal naso, 'na violenta pidata alla schina ammollatagli da Loquale lo rimisi dritto.

E subito Lopò, che aviva pigliato la rincorsa, lo centrò con una tistata da stambecco nella panza.

Il dottori crollanno annò a sbattiri contro a 'na vitrinetta china china di strumenti che gli s'arrovisciò di supra.

Stavano per ghirisinni, quanno da sutta alla vitrinetta arrivò la voci luntana luntana del dottori.

«Picciotti!».

«Crepa, 'nfami!».

«Picciotti, vi lo giuro su quello che ho di cchiù sacro...».

«Tu non hai nenti di sacro!» fici Giummarra.

«... che non fui io! Non fui io! Vi lo giuro! Vi lo pozzo addimostrari! Tiratemi fora da ccà sutta, vi nni prego!».

Gli livaro la vitrinetta di supra, lo ficiro assittare. Oramà si erano sfogati.

«Come fai a dimostrarinni che non sei stato tu?» spiò Lopò.

Il dottori, senza diri nenti, cavò fora dalla sacchetta tri buste chiuse già coll'indirizzi e i franchibolli e gliele pruì.

La prima era distinata «Alla signora Ausonia Giummarra», la secunna ad Ardelia Loquale, la terza ad Adelina Lopò.

Il contenuto, a stampatello, era sostanzialmenti uguali, sulo i nomi cangiavano di vota 'n vota:

*Signora Giummarra, la porto a canuscenzia che sò marito con l'amiciuzzi Lopò, Loquale e Lavagnino a mezzannotti di jorno 10 si nni va a mangiari con le svidisi dintra alla cisterna nella quali esse travagliano con le motogiglette. Un amico.*

«Disgraziato!».
«Cornuto!».
«Schifoso!».
«Lassatemi spiegari, per carità! Vero è, io 'sto sgherzo ve lo volivo fari. Ma po', vidennovi che eravati accussì filici, accussì cuntenti, mi nni pintii e non spidii le littre. Vi lo giuro! In autri tempi l'aviria fatto, ma ora non me la sono sintuta. Forsi staio addivintanno vecchio».
Lopò e Loquale, commossi e pintiti, gli si stavano avvicinanno, quanno Giummarra gridò:
«Fermi! Ma non lo capite che 'sto grannissimo cornuto ci sta piglianno per il culo? Le littre che ci ha ammostrate sunno 'na copia! Le prime le ha spidute e queste se le è priparate per farisi l'alibi con noi!».
Rassignato, e 'nnuccenti come a Cristo, il dottori si lassò vastuniare per la secunna vota.
Lo lassaro accussì, che gli ammancava sulo la corona di spine, e si annaro a circari un albergo.
Pirchì era chiaro che, a tornari ognuno nella propia casa, manco a parlarinni.

Si misiro di mezzo parenti di primo, secunno e terzo grado, amici e amici dell'amici, pirchì le mogliere pirdonassiro ai mariti e li facissiro tornari 'n casa.

Quelle alla fini si lassaro pirsuadiri, ma pretesero e ottenniro dù misi d'esilio sorvegliato dei mariti.

Ma le mogliere non volliro arrivilari mai come avivano fatto a sapiri.

Quello era un sigreto che avrebbiro mantinuto sino alla morti.

L'avivano giurato ad Ardelia.

Era stato Giummarra a rivilari tutto a sò mogliere, ma senza sapirlo.

Pirchì Ardelia, insospettuta dall'annunzio della partenza per Palermo del marito, gli aviva dato da mangiari, quella sira stissa, sarde alla beccafico. Ma erano sarde spiciali, priparate secunno la ricetta della magara gnà Pina, la quali consistiva nell'aggiunta al ripieno delle sarde di dù o tri fila d'erba acchiamata «viritera» che aviva la propietà di fari parlari in sonno a chi se la mangiava.

Ardelia, di 'sta magaria, non nni fici mai parola con nisciuno ma l'aviva spirimentata dù o tri vote con il marito e aviva sempre funzionato. E funzionò macari quella sira.

E 'nfatti Giummarra, a mità notti, si susì a mezzo del letto e accomenzò a parlari. E tra l'autri cose dissi:

«Jorno deci... io, Lopò, Loquale e Lavagnino... con le vichinghe... nella cisterna... a mezzannotti... a mangiari...».

E subito appresso si era mittuto macari a ridiri, il cornuto!

# I cacciatori

# Uno

Vicenzo Scozzari era un quarantino di bona famiglia che faciva il comerciante all'ingrosso di ciciri e fave, come lo era stato sò patre.

Bitava a mità del corso di Vigàta e sutta alla sò bitazioni ci stava il granni magazzino indove tiniva la merci e che era collegato con l'appartamento da 'na scala 'nterna di ligno.

Come aiutanti aviva un picciotto di magazzino vintino, Manueli, sperto e 'ntelligenti, che abbadava a ogni cosa, sapiva trattari coi clienti e lo sostituiva spisso e volanteri.

Pirchì Vicenzo, che non jocava, non viviva ed era fidilissimo a sò mogliere, 'na beddra trentina che di nomi faciva Teresina, aviva 'na sula passioni: la caccia, alla quali addedicava non sulo il tempo libbiro, ma macari quello non libbiro dato che c'era Manueli pronto in ogni momento a pigliari il sò posto.

Ma ogni vota che si nni partiva per annare a caccia, Vicenzo era 'ngustiato dal fatto che oramà non attrovava mai a uno che fusse uno disposto ad accompagnarlo.

Non è che a Vigàta ammancassiro i cacciatori, anzi ci nni erano tanti che abbastavano e assupirchiavano, ma il problema era che nisciuno voliva aviri a chiffare con lui.

Ma non era stato sempri accussì.

Abbisogna sapiri che la prima vota che Vicenzo era annato a caccia era stato propio nel capodanno del milli e novicento e vinti, quanno aviva vinticinco anni, 'nvitato da 'n amico di sò patre, don Mario Ticchiara, che gli aviva 'mpristato macari il fucili.

Col primo colpo aviva sbagliato un coniglio, col secunno aviva sbagliato un secunno coniglio e col terzo aviva finalmenti pigliato qualichi cosa.

Sulo che si trattava della gamma mancina di don Mario Ticchiara che era ristato zoppichiante per tutto il resto dei sò anni.

Alla secunna partita di caccia alla quali partecipò c'erano otto cacciatori e lui fu l'unico a non aviri pigliato nenti, pirchì aviva sbagliato tutti i colpi sparati.

'N compenso, mentri che la comitiva si nni stava tornanno a pedi a Vigàta, lui era 'nciampicato supra a 'na petra, aviva perso il quilibrio, e il fucili, che si era scordato di scarricare, gli era caduto 'n terra, era scasciato e 'na poco di pallini erano annati a finiri nell'occhio dritto di Totò Arena che ristò orbo di 'n occhio per il resto dei sò anni.

La terza e urtima vota che niscì 'n compagnia, non colpì manco un passaro, ma per sbaglio sparò alla testa di Micio Monaco che si nni stava acculato per fari un bisogno, scangiannolo per una lepri, e lo pigliò in piena vucca per cui Micio ristò sdintato per tutto il resto dei sò anni.

Doppo che capitò questo terzo 'ncidenti nel giro di qualichi misata, al circolo della caccia si tenni 'na riunioni straordinaria di tutti i soci senza avvirtiri però a Vicenzo.

«Quest'omo» esordì il presidenti «è capace di fare cchiù danno di 'na passata di qualera».

«Ma ci vidi mali?» si 'nformò uno dei soci.

«Quanno mai! Di vidirici, ci vidi benissimo! Il problema è che è totalmenti 'ncapace di pigliari la mira!».

«Ma biniditto Dio» 'ntirvinni 'n autro socio. «Se è accussì nigato per la caccia, pirchì si 'ntesta a cacciari?».

«Forsi propio pirchì è nigato» dissi un terzo.

«Allura che si pò fari?» spiò un quarto.

«Ghittamolo fora dal circolo» proponì un quinto.

«Non sarebbi giusto» fici il presidenti. «Ci sunno stati pricidenti cchiù serii come quanno don Filippo Correra sparò e ammazzò a Tano Mammarosa o come quanno a Micheli Sciabica gli dovittiro tagliari un vrazzo per un colpo sbagliato da Gegè Corrao. Né Correra né Corrao foro esclusi dal circolo».

«E allura che si fa?» tornò a spiare il quarto.

«Parlamone col diligato di pubblica sicurezza» proponì il presidenti.

La proposta vinni accittata.

Tri jorni appresso Vicenzo vinni chiamato dal diligato.

«Io non posso ritirarvi il porto d'armi perché non ci sono gli estremi per farlo. Ma vi diffido formalmente dall'andare a caccia in compagnia di chicchessia e di sparare nelle vicinanze di abitazioni private e di luoghi di raduno».

La mala vintura di Vicenzo accomenzò il jorno nel quali, oramà quarantino, un lunidì sira, al circolo, sintì diri che il camperi del baroni Guttadauro, Ciccio Spanò, aviva addiciso di pirmittiri la caccia a taci maci nel feudo Mannarella se uno gli spiava il primisso e nello stisso tempo gli mittiva 'n mano qualichi decina di liri.

Era da un secolo e passa che i baroni Guttadauro non pirmittivano ai cacciatori di mittiri pedi dintra al feudo, epperciò quel loco doviva essiri addivintato un vero e propio paradiso tirrestri d'armàli.

'Na poco di soci dissiro subito che ci sarebbiro annati a fini simana, dato che nell'autri jorni avivano da travagliare.

Macari Vicenzo aviva assà da travagliare, ma potiva farisi sostituiri da Manueli.

Perciò alle sett'arbe del jorno appresso 'nforcò il cavaddro e, seguitato dal meglio cani che aviva, Rorò, si nni partì per il feudo Mannarella.

Ebbi la fortuna di 'ncontrare a mezza strata a Ciccio Spanò che accanosciva di vista, il quali si nni stava scinnenno a Vigàta. Con quinnici liri ottenni il primisso di stari a sparari fino alla scurata.

«Quali posto mi consigliati?» spiò al camperi.

Quello gli spiegò la strata da fari per arrivari a un lachetto allocato 'n mezzo a un vosco e gli spicificò che lì avrebbi attrovato sia aceddri acquatici sia lepri e conigli.

«Ci nni sunno tanti d'armàli che vossia pò sparari a occhi chiusi» vantò il camperi.

Quella prima jornata non concludì nenti, al solito sò, e quanno finì tutte le cartucce che s'era portato appresso s'addunò che già scurava. Aviva fatto tardo e senza la luci del soli sarebbi stato difficili attrovare la strata giusta per nesciri dal vosco.

Doppo 'na poco di tentativi si stava scoraggianno e si stava priparanno a passari la nuttata al friddo e allo stiddrato, quanno vitti, bastevolmenti vicina, 'na luci accussì splapita che in un primo momento gli parse un inganno della vista.

Po' 'nveci si fici pirsuaso che quella luci c'era davero e vi s'addiriggì.

A un certo momento si vinni ad attrovare in una radura e 'n mezzo a 'sta radura ci stava 'na casuzza di ligno. Era dalla sò finestra che viniva quel lumi.

Tuppiò e gli comparse un vecchio che però non lo fici trasire, gli parlò dalla porta tinuta rapruta a mità.

«Che voliti?».

«Sugno un cacciatori e...».

«Un cacciatori? Ci l'aviti addimannato il primisso a Ciccio Spanò?».

«Sì».

Il vecchio, quanno sintì la sò difficortà, chiuì a chiavi la porta e l'accumpagnò fino ai margini del vosco indove Vicenzo aviva lassato il cavaddro attaccato a un àrbolo.

Quanno tornò a la casa che era già notti s'aspittava

d'attrovare a sò mogliere Teresina nirbùsa e agitata per il ritardo.

'Nveci Teresina non lo rimprovirò, gli dissi sulamenti:

«Il mangiari ce l'hai pronto 'n tavola. Io mi vado a corcare pirchì aio sonno».

Mangiò di prescia pirchì gli era vinuta 'na gran gana di fari all'amuri con Teresina.

Era da qualichi misata che, per 'na scascione o per l'autra, non stavano 'nzemmula.

Appena che si fu corcato, le posò 'na mano supra all'anca e dissi a voci vascia:

«Teresì...».

Quella, per risposta, gli detti 'na pidata e sclamò sgarbata:

«Ti dissi che aio sonno!».

Vicenzo non 'nsistì.

L'indomani a matino fici sapiri a Manueli che il jorno appresso sarebbi annato novamenti a caccia.

Aviva 'n testa di tornari al lachetto, lì c'era tanta di quella sarbaggina che un jorno o l'autro qualichi cosa avrebbi pigliato di sicuro.

«Mi piacirebbi viniri qualichi vota con vossia» fici tutto 'nzemmula Manueli.

Vicenzo lo taliò ammaravigliato. Mai prima d'ora il picciotto aviva ammostrato 'ntiressi per la caccia.

Po' arriflittì che lui stisso aviva principiato a vinticinco anni.

«Ma sai sparari?».

«Nonsi, ma se vossia mi 'mpresta uno dei sò fucili e me l'insigna...».

Si ralligrò al pinsero di potiri finalmenti aviri un compagno. Certe vote la completa solitudini gli pisava, gli avrebbi fatto piaciri scangiari qualichi parola con qualichiduno.

«Io ti ci portiria, ma ci sunno dù problemi. Il primo è che io sugno diffidato di portari a qualichiduno con mia».

«Ma io pozzo viniri ammucciuni di tutti. Vossia si nni parti da sulo ma mi dici un loco indove attrovarinni».

«Accussì si pò fari. Ma resta il problema del magazzino. Se tutti e dù ni nni ghiemo a caccia, chi ci abbada?».

«Ma io diciva di viniri a caccia con vossia di duminica, quanno il magazzino è chiuso».

«Lassamici pinsari» concludì Vicenzo.

Quella sira stissa, mentri che stava annanno al circolo, 'ncontrò a Ciccio Spanò.

Sborsò le quinnici liri ed ebbi il primisso per l'indomani, jovidì.

«Vossia torna al lachetto?».

«Sì».

«L'autra vota me lo scordai di diriccillo. Vidissi che l'acqua è amara. Si portassi 'na borraccia».

«Grazii. Sintiti, è possibili, una di 'ste duminiche, portari a 'na pirsona con mia?».

«Dù pirsone fanno vinticinco liri» fu la risposta.

«Allura d'accordo per la duminica che veni» fici Vicenzo mittennogli 'n mano il dinaro.

L'indomani matina si susì che era ancora scuro fitto.

Aviva addiciso d'attrovarisi nel loco allo spuntari del soli, quella era l'ura giusta per cacciari.

Il lachetto era tutto circonnato da erbe serbagge e canne cchiù àvute di un omo, per arrivari alla sponda abbisognava farisi largo con le mano.

Vicenzo superò l'urtima barrera vigitali, vitti il lachetto e di colpo addivintò 'na statua.

Dall'acqua stava niscenno a lento 'na picciotta vintina, la fodetta assammarata ne fasciava il corpo pirfetto mittennolo in evidenza pejo che fusse nuda.

Aviva capilli biunni che le cummigliavano le spalli, gamme longhe longhe, pariva pricisa 'ntifica a 'na fata.

Po' la picciotta s'addunò di Vicenzo.

Ma 'nveci di gridari o scappari, si firmò, gli sorridì e si posò un dito supra al naso in signo di fari silenzio.

Che voliva significari?

Subito appresso trasì nel canneto e scomparse.

Vicenzo ristò ancora un pezzo 'ngiarmato.

Po' si riscotì ed ebbi bisogno di viviri, l'emozioni gli aviva fatto addivintari la vucca sicca.

S'assittò, pigliò la borraccia che tiniva a tracolla, la posò allato a lui, s'addrumò un sicarro, pirchì ogni tanto fumava, svitò il tappo della borraccia, vippi, la riposò, continuò a fumari.

Sulo quanno dovitti astutari il sicarro s'addunò che, storduto com'era, non aviva attappato la borraccia, la quali era sciddricata 'nclinannosi e svacantannosi di tutta l'acqua.

Quella sorsata gli sarebbi dovuta abbastari per tutta la jornata.

Ma non gli abbastò. Quanno il soli fu a picco, lui si era fatto chilometri di curruta e di sparatine a vacanti appresso a lepri che satavano fora da tutte le parti e pariva che lo facivano apposta per farlo nesciri pazzo. Gli era vinuta 'na siti che non riggiva.

All'improviso e senza sapiri come si vinni a trovari nella radura indove c'era la casuzza di ligno.

## Due

Tuppiò e rituppiò e non gli arrispunnì nisciuno.

Ma dintra alla casa gli era parso di sintiri 'na rumorata liggera liggera. Perciò per forza doviva essirici qualichiduno a malgrado che macari la finestra allato alla porta era 'nsirrata come se si voliva fari pariri che 'n casa non ci fusse anima criata.

E forsi capace che veramenti non ci stava nisciuno in quel momento, macari a fari quel rumori era stato un gatto o un qualisisiasi autro armàlo casaligno.

Ad ogni modo, lui aviva nicissità assoluta di viviri, perciò rituppiò per la terza vota.

E manco stavota ebbi risposta.

Però sintì, distintamenti, ancora un rumori come se qualichiduno avissi sbattuto contro a 'na seggia.

Allura s'addicidì a mittirisi a parlari alla porta chiusa. Era meglio fari accapiri che non aviva mali 'ntinzioni.

«Per favori, aio bisogno sulo di tanticchia d'acqua. Sono un cacciatori e staio morenno di siti. Rapriti, per piaciri».

Non aviva finuto di parlari che da dintra gli arrivò 'na frisca voci di picciotta.

«M'aviti a scusari, ma non vi pozzo rapriri».

«Rapritimi, vi giuro che sugno un galantomo».

«Non importa cu siti o non siti. La porta è chiusa a chiavi e mè marito se la portò appresso».

Vicenzo strammò. Che usanza era? Figurati il catunio che sarebbi successo se avissi fatto lo stisso con Teresina!

«Vostro marito quanno nesci vi chiui a chiavi?».

«Sì».

«E pirchì?».

«A voi chi vi nni 'mporta?».

«Mi 'mporta».

«Pirchì è giluso pazzo, ecco pirchì. Mischino, iddro è vecchio, s'avi a compatiri».

«Sintiti, io aio siti assà. Se aviti la bontà d'affacciarivi un momento sulo alla finestra...».

«Non pozzo».

«Non potiti?!».

«No. Nuda sugno».

Vicenzo allucchì completamenti.

«Non vi potiti vistiri?».

«No. Non aio vistiti».

«Vostro marito vi teni macari nuda?».

«Siccome che stamatina s'arraggiò pirchì mentri che iddro dormiva io mi nni scappai dalla finestra e annai a fari il bagno nel laco, pigliò tutta la mè robba, la misi dintra a un sacco e se la portò via...».

Era dunqui lei la miravigliosa criatura che aviva viduto nesciri dall'acqua alle prime luci del jorno!

Vicenzo sintì nasciri in lui 'n improviso 'ntiressi verso quella picciotta come non aviva cchiù sintuto verso nisciuna fìmmina doppo che si era maritato con Teresina.

«Stamatina vi vitti» dissi.

«Eravati voi il cacciatori?».

«Sì».

«Facemo accussì» dissi la picciotta doppo avirici pinsato tanticchia. «Voi lassati la borraccia supra alla finestra e mi giurati che v'allontanati. Tornate tra cinco minuti».

«Vi lo giuro» dissi Vicenzo.

Quanno tornò, la borraccia era allo stisso posto indove l'aviva lassata. Ma era china.

Mentri che viviva, non potti fari a meno di notari che la finestra era stata lassata mezza aperta.

Gli parse un chiaro signo che la picciotta aviva 'na gran gana di continuari a parlari.

«Vi pozzo spiari come vi chiamati?».

«'Ngilina. E voi?».

«Vicenzo».

«Maritato siti?».

«Sì».

«Aviti figli?».

«No. E voi?».

Lei arridì. Fu 'na risata vascia, di gola, che ebbi 'n effetto squasi miraculoso supra a Vicenzo che sintì di colpo il sangue quadiarisi, il cori battiri cchiù forti.

«Pirchì arriditi?».

«Come fazzo ad aviri un figlio? Lo sapiti che mè marito quanno mi maritai aviva sittantatrì anni?».

«E ora quanti nn'avi?».

«Sittantasei».

A Vicenzo la dimanna gli scappò di vucca.

«Ma pirchì vi siti maritata con un vecchio?».

«È 'na storia longa» tagliò la picciotta.

A Vicenzo gli vinni desiderio di parlari ancora con lei. E trovò un modo che gli parse bono.

«Mi pirmittiti di mangiari davanti alla vostra porta?» spiò.

«Per mia... Che vi siti portato da casa?».

«Pani e salami, pani e mortatella, pani e caciocavaddro e 'na borraccia di vino».

«Maria, quant'avi che non mangio mortatella e non mi vivo tanticchia di vino!».

«Pirchì non favorite con mia?».

«E come facemo?».

«Si pò fari accussì. Voi vi mittiti 'na cammisa di vostro marito e v'affacciati alla finestra, io m'assetto 'n terra sutta di voi ed è come se mangiassimo 'nzemmula».

«Vero è!» fici 'Ngilina arridenno.

Doppo un minuto spalancò la finestra e comparse con una cammisa cilestri del vecchio.

Si taliaro, si sorridero.

Si ritaliaro e si risorridero.

Appresso Vicenzo le pruì il pani con la mortatella. Per pigliarisillo, lei dovitti sporgirisi e la cammisa le si raprì quel tanto che abbastava pirchì Vicenzo, non cridenno ai sò occhi, potissi ammirari un petto che non cridiva che ne potivano esistiri 'n terra.

Il cannarozzo gli era addivintato di colpo accussì sicco che il primo pezzo di pani e caciocavaddro che si misi 'n vucca non lo potti agliuttiri e vinni pigliato da 'na poco di colpi di tossi che lo ficiro lacrimiare.

«Viviti, viviti!» gli suggirì 'Ngilina.

Svitò il tappo della borraccia col vino e stava principianno a viviri quanno s'arricordò che prima doviva offrirlo alla picciotta.

«Nni volite?».

«Doppo di voi» dissi 'Ngilina.

Vippi, e stava per pruiri la borraccia alla picciotta quanno gli tornò a menti 'na cosa che lei aviva ditto.

«Pirchì è da tanto che non viviti vino?».

«Mè marito non voli».

«Come mai?».

«Pirchì a mia m'abbasta e superchia un sulo muccuni di vino per 'mbriacarimi totali».

«Allura è meglio che non...».

'Ngilina non gli arrispunnì subito. Si sporgì tutta fora dalla finestra.

Allungò un vrazzo. La cammisa stavota le si raprì completamenti. Lei non se la rimisi a posto.

Il munno torno torno a Vicenzo accomenzò a firriari squasi fusse 'na trottula.

«Datemi la borraccia» dissi lei.

'Ntordonuto, Vicenzo gliela pruì.

'Ngilina la pigliò, gli s'attaccò, si nni vippi quattro, cinco muccuna senza mai staccari le labbra, gliela ristituì.

«Voliti tanticchia di pani e salami?» arrinniscì a spiare Vicenzo.

'Ngilina non gli arrispunnì. Isò l'occhi. La picciotta non era cchiù alla finestra.

Pinsò che si nni era trasuta per qualichi momento e po' si sarebbi riaffacciata.

'Nveci passaro cinco minuti e lei non ricomparse. La chiamò:

«'Ngilina».

Silenzio. Che le era capitato? La chiamò a vacante 'na secunna vota. Nenti.

Allura s'apprioccupò per davero. Possibili che aviva vivuto troppo vino ed era sbinuta? Si susì addritta.

Calcolò che facenno un sàvuto sarebbi arrinisciuto ad aggramparisi al davanzali della finestra e a taliare dintra.

Ma capace che la picciotta se la pigliava a malo.

Per scrupolo, la chiamò ancora. Nisciuna risposta. Fici un sàvuto e s'affirrò al davanzali.

'Ngilina stava stinnicchiata 'n terra, nuda, si era livata la cammisa, e lo taliava.

Era accussì beddra, ma accussì beddra che Vicenzo dovitti chiuiri l'occhi e po' raprirli novamenti, come quanno si passa dallo scuro a 'na luci violenta.

«Ti senti bona?».

La voci squasi non gli niscì dal cannarozzo.

«Sì».

«Allura io ti...».

«Allura tu scavarchi la finestra e veni ccà» cumannò 'Ngilina.

Vicenzo bidì.

«Cori mè».

«Vita mè».

«Abbrazzami».

«Vasami».

«Stringimi».

Cchiù sintiva o arripitiva 'sti paroli e cchiù Vicenzo si annava scordanno d'ogni cosa o meglio annava scancillanno il munno che c'era fora di quella càmmara, sò mogliere, il comercio, l'amici, la caccia, anzi, per dirla tutta, vinni il momento che scancillò l'intero universo criato.

L'unica cosa esistenti e vera era il corpo di 'Ngilina che non lo saziava mai.

A quarant'anni sonati stava apprinnenno che il corpo fimminino è 'na terra che non s'arrinesci mai a esplorari tutta.

In una brevi pausa seppi che 'Ngilina era la figlia del camperi Ciccio Spanò, che a sidici anni si era 'nnamurata di un picciotto morto di fami, che ci aviva fatto l'amuri, che era ristata prena, che il picciotto scantato si nni era scappato, che allura Ciccio per evitari lo scannalo l'aviva obbligata a maritarisi con un vecchio viddrano che si chiamava Totò Todaro e che...

«E il figlio che aspittavi?».

«Morse che aviva tri misi. E io ristai dintra alla gaggia. Maritata a un vicchiazzo».

Po' il soli accomenzò a calari.

«Tra 'na mezzorata s'arricampa quel fituso di mè marito» dissi 'Ngilina tinennolo stritto stritto. «Ma io non ti vorria lassari ghiri... Giurami però che torni presto».

«Ti lo giuro» fici Vicenzo. «Sabato matina sugno ccà».

«T'aspetto. Ma non t'apprisintari mai di duminica pirchì mè marito si nni resta tutto il jorno a la casa a martoriarimi».

«Duminica devo viniri ccà a caccia, già lo dissi a tò patre. Però mi nni starò sempri al lachetto. Ma vegno prima, sabato, sulo per stari con tia».

Quanno trasì nella sò casa era talmenti stunato che sbattì contro la porta, po' contro 'na seggia, po' contro la tavola conzata e 'nfini fici cadiri 'n terra il piatto con la minestra.

«Ti 'mbriacasti?» spiò Teresina siddriata.

Avrebbi voluto arrispunniri di sì, che era 'mbriaco no di vino, ma d'amuri e di filicità.

Però si dovitti tiniri.

Duranti la nuttata, a malgrado che fusse stanco morto, non arriniscì a pigliari sonno. E tanto s'arramazzò che a un certo punto Teresina si susì e si nni annò a dormiri in una càmmara vacante.

Allura Vicenzo affirrò il cuscino della mogliere e se lo stringì al petto, mentri murmuriava:

«O 'Ngilina, 'Ngilina mia...».

# Tre

Per tutta la jornata che vinni fu accussì strammato, con la testa sempri a pinsari a quello che aviva fatto con 'Ngilina e quanto che ancora aviva da fari, e camminò tali e tanta confusioni coi clienti scangiannoli uno per l'autro che a un certo punto Manueli, doppo avirlo taliato cchiù vote prioccupato, lo chiamò sparte e gli dissi:

«Pirchì non si va a fari 'na passiata al molo?».

Vicenzo lo taliò con l'occhi persi.

Era chiaro che non aviva sintuto assolutamenti nenti.

Manueli gli arripitì la dimanna.

«Ah!» fici Vicenzo.

E si nni niscì dal magazzino.

Ma siccome che subito si scordò indove Manueli gli aviva ditto d'annare, si fici 'na passiata fino al camposanto. Allura, dato che c'era, annò nella tomba di sò matre e di sò patre. Si commovì senza sapiri pirchì e si misi a chiangiri come se fussero morti il jorno avanti. Ma macari da quello sfogo non ne ebbi nisciun giovamento.

L'unica che l'avrebbi potuto carmari era di starisinni abbrazzato alla picciotta.

Nel doppopranzo annò a circari a Ciccio Spanò, pagò per l'indomani e confirmò per la duminica.

Nella nuttata la stanchizza l'abbattì e arriniscì finalmenti a farisi qualichi orata di sonno.

S'arrisbigliò che già si travidiva la prima luci e annò di gran prescia a lavarisi e a vistirisi.

Po' scinnì di cursa 'n strata, raprì la staddra, sellò il cavaddro e si nni partì al galoppo.

Era arrivato appena fora del paìsi quanno 'ncontrò a un conoscenti che gli spiò:

«Unni vai, Vicè, accussì di cursa?».

«Unni voi che vaio? A caccia».

«Senza fucili?» fici il conoscenti 'mparpagliato.

Vicenzo si detti 'na gran manata 'n fronti. Ma unni aviva la testa? Se l'era scordato!

Dovitti tornare narrè, santianno, a pigliarisillo.

Arrivò davanti alla casa di ligno che era jorno. 'Ngilina era alla finestra con la cammisa cilestri del marito.

Lo stava aspittanno.

Maria quant'era bello vidiri a lei che l'aspittava addisidirannolo!

Cinco minuti doppo s'arrutuliavano supra al letto.

Erano tanto pigliati di foco che non arriniscivano a scangiarisi paroli, ma sulo murmuriamenti, sclamazioni, lamenti di piaciri.

Dù ure appresso la picciotta dissi:

«Amuri mè, vidi che verso l'una ti nni devi ghiri».

«E pirchì?».

«Pirchì mè marito mi dissi che nel primo doppopranzo veni con uno che devi fari un travaglio alla casa. Quanno torni ccà nni mia?».

«Martidì».

«Veni a diri che martidì n'arrifacemo del tempo che 'sto cornuto nn'arrobba oggi».

A Vicenzo era passata la gana d'annare a caccia.

«Allura doppo mi nni torno a Vigàta».

«No, sarebbi 'no sbaglio. 'Nveci, nisciuto di ccà, devi annare al laco e sparari».

«E pirchì?».

«Capace che se mè marito o mè patre non ti sentono sparari si mettino 'n sospetto».

Aviva raggiuni.

Fu accussì che quel doppopranzo Vicenzo ammazzò, assolutamenti per caso, la prima lepri della sò vita.

La virità è che nell'attimo nel quali pigliò la mira ebbi la visioni abbaglianti del petto di 'Ngilina e forsi fu 'sta visioni cilistiali a farigli fari centro.

Prima di mittiri la lepri nel carneri se la tinni a longo tra le mano, taliannola e chiangenno.

Si vidi che la mè esistenzia è cangiata, pinsò, ed è sicuro che 'Ngilina mi sta portanno fortuna.

La sira lo contò ai soci del circolo.

«Oggi pigliai 'na lepri».

«Io non crio ai miracoli» fici uno.

«Chista è la farfantaria cchiù grossa che aio sintuto!» dissi un secunno.

«Davero?» gli spiò un terzo 'ncredulo.

«Parola d'onori» dissi Vicenzo.

Era cosa cognita che quanno Vicenzo dava la sò parola c'era da cridirici senza discussioni.

Successi un quarantotto.

Chi l'abbrazzava, chi gli stringiva la mano, chi gli dava manate supra alle spalli...

Vicenzo era accussì filici che proponì un brindisi. La proposta vinni accittata tra l'applausi.

Come erano ristati d'accordo, all'arba della duminica Manueli s'apprisintò puntuali a cavaddro all'appuntamento al vecchio fontanili, che s'attrovava in una trazzera indove nei jorni di festa non ci passava nisciuno.

Vicenzo gli consignò uno dei dù fucili che si era portato e s'avviaro verso il feudo Mannarella.

Mentri che caminavano, il picciotto gli accomunicò che si era fatto nesciri le carte per il porto d'armi e per il primisso di caccia.

«Me li danno in quattro jorni».

«Hai fatto beni».

Però, quanno arrivaro, Manueli s'addimostrò del tutto sproviduto, non sapiva manco come si faciva a caricare un fucili epperciò Vicenzo dovitti accomenzare la sò lezioni dal sillabario.

Alla fini della matinata, quanno si firmaro per mangiari, Vicenzo si era oramà fatto pirsuaso che Manueli sparava, per quanto la cosa parissi 'mpossibili, cchiù pejo di lui.

L'aviva fatto tirari per quattro ure filate no alla sarbaggina, ma a 'na speci di grosso cucummaro mittuto supra a un masso.

Non c'era stato mai verso che un sulo pallino avissi centrato il cucummaro.

Alla fini Vicenzo, persa la pacienza, pigliò la mira, sparò, e lo fici 'n cento pezzi.

Se persino a lui sparari al cucummaro era arresurtato facili, com'è che Manueli non ci era arrinisciuto?

Aviva un difetto nella vista? Gli trimavano le mano? No, semplicementi non ci sapiva fari. Manueli era stato capace di sbagliari il cucummaro a tri passi di distanzia.

Addicidì di parlarigli aperto.

«Senti, Manuè, doppo 'sta matinata, mi pari che la caccia per tia non è propio cosa».

Manueli fici 'na facci ammaraggiata. Po' accomenzò a parlari ammancanno picca che non gli si agginocchiasse davanti.

«Non mi dicissi accussì, don Vicè! Io ci tegno la passioni! M'avi a cridiri! Abbasta che vossia avi tanticchia di pacienza, pirdissi qualichi autra jornata con mia...».

Quanno arripigliaro, Vicenzo provò a farlo sparari alla sarbaggina 'n movimento.

E ccà la facenna si fici ancora cchiù chiara.

Non sulo Manueli era 'ncapace di pigliari la mira verso un qualisisiasi armàlo che volava o corriva, ma per ben tri vote Vicenzo sintì il frullìo dei pallini passarigli troppo vicino alla testa.

«Attento che m'ammazzi!».

«'Nzamà, Signuri!».

Alla fini della jornata, Vicenzo lassò perdiri a Manueli e si misi a cacciari per conto sò.

Avenno sempri davanti all'occhi ora il petto, ora la panza, ora il darrè di 'Ngilina pigliò dù lepri e dù quaglie.

Ah, 'Ngilineddra, tutta bona e biniditta! Ah 'Ngilineddra crema della vita! Ah 'Ngilinuzza sciuri sempri profumato!

Al circolo, quella sira Vicenzo contò che c'era uno che l'aviva sostituito come il pejo cacciatori di Vigàta.

«E cu è?».

«Manueli, il mè giuvani di magazzino».

«Facemolo subito socio!» proponì per sgherzo il presidenti.

'Nveci la proposta vinni pigliata seriamenti dall'autri.

'N funno, ora che Vicenzo era addivintato un cacciatori normali, che nel circolo ci fusse 'na schiappa tornava commodo a tutti. Quanno c'erano jornate contrarie che non pigliavano manco 'n'allodola, si potivano consolari pinsanno che c'era uno di loro ch'era totalmenti nigato.

Fu allura che Vicenzo prigò il presidenti di parlari col diligato di pubblica sicurizza pirchì ritirassi la diffida che gli aviva fatta di sparari nelle vicinanze dei lochi bitati.

Aviva avuto la bella idea che, dato che per annare dal laco alla casuzza di 'Ngilina ci volivano tri quarti d'ura, se gli viniva arritirata la diffida potiva, stannosinni corcato con la picciotta, ogni tanto susirisi, affacciarisi dalla finestra e sparari qualichi colpo. Accussì sò marito o il camperi sò patre avrebbiro pinsato che lui era a cacciari nelle vicinanze.

Il presidenti gli dissi che l'avrebbi fatto l'indomani stisso.

La jornata di lunidì la passò tutta corcato a letto, aviva ditto a Teresina che aviva malo di testa.

Prifiriva accussì chiuttosto che scangiare paroli con le pirsone. Si era addunato 'nfatti che spisso e volanteri, avenno la testa sempri a quella casuzza nel vosco, non accapiva quello che gli dicivano e arrispunniva ammuzzu opuro ristava muto e 'mparpagliato.

Come Dio vosi, macari quel jorno e quella notti passaro e spuntò finarmenti l'arba del martidì.

Vicenzo si susì che parse un furgarone, tempo 'na vintina di minuti cavarcava già verso il feudo.

Siccome che era stonato come a 'na campana stonata, da sempri si era vrigognato di cantari, macari quanno s'attrovava sulo.

'Nveci quella matina si sorprennì a cantari con tutta la voci che aviva «Tu che a Dio spiegasti l'ali».

Già dal limitari della radura s'addunò che c'era qualichi cosa che non quatrava.

La finestra, di lontano, gli parse chiusa. Come mai 'Ngilina non stava ad aspittarlo?

Tutto 'nzemmula pinsò che sò marito, macari pirchì non si era sintuto bono, quella matina si nni era ristato a la casa.

Abbisognava usari prudenzia.

Scinnì da cavaddro, attaccò la vestia a un àrbolo e

s'avviò a pedi verso la parti di darrè della casuzza che era priva di finestri.

Si misi a corriri allo scoperto e in brevi s'attrovò appuiato alla pareti posteriori.

Da lì si cataminò a pedi leggio, stannosinni calato, e girò torno torno fino ad arrivari sutta alla finestra.

Si isò quateloso e la taliò.

Si sintì moriri il cori.

La finestra non era chiusa, era sulamenti accostata.

Ma ora era cummigliata da 'na grata fatta di grosse sbarri di ferro.

La botta fu tali che gli ammancaro le gamme e cadì affacciabocconi supra all'erba.

Ma subito appresso si susì, assugliato da 'na furia vistiali.

S'allontanò per pigliari 'na speci di rincorsa facenno voci armalische e sàvuti da scimia, tornò currenno sutta alla finestra, satò, s'aggrampò alle sbarre scotennole furioso, le voliva staccari dal muro.

Po' la finestra si raprì e comparsi la facci di 'Ngilina.

Lagrime grosse le colavano 'n continuazioni, le vagnavano il petto nudo che sobbalzava per i singhiozzi.

A vidirla accussì sdisolata la furia di Vicenzo scomparì 'mprovisa com'era vinuta.

Allungò un vrazzo attraverso le sbarri, le carizzò con dolcizza la facciuzza e il petto.

Po' lei gli pigliò la mano e gliela vasò.

Subito appresso gliela lassò, s'avvicinò cchiù che potti alla finestra, 'nfilò la facci tra le sbarri e le loro vucche arriniscero a congiungirisi.

# Quattro

«Ma che fu?» spiò Vicenzo, senza cchiù sciato, doppo la vasata lunghissima.

'Ngilina tornò a singhiozzari.

«Sabato doppopranzo quel gran cornuto di mè marito s'apprisintò con un muratori e fici murari la grata per non farimi cchiù nesciri ammucciuni e annare a lavarimi al laco».

'N testa a Vicenzo i pinseri firriavano come foglie pigliate da un gran vento. Non arrinisciva a firmarini uno.

«E ora come facemo?» spiò alla picciotta spiranno d'attrovari in lei un qualichi aiuto.

«Nun lo saccio» dissi 'Ngilina. «'Ntanto vasami».

«No» fici Vicenzo tirannosi narrè. «Cchiù nni vasamo, cchiù nni carizzamo e pejo è».

«Ma che dici?!».

«Cridimi, addiventa 'na tortura. 'Na cosa però è sicura: che accussì non ci potemo ristari».

«Mi voi lassari?» spiò 'Ngilina con l'occhi dispirati.

«Io non ti lasserò mai cchiù» fici Vicenzo.

Si rivasaro, si toccaro.

Era davero 'na tortura.

«Ma come pozzo nesciri da 'sto càrzaro?» gridò a un certo momento 'Ngilina.

Prima di darle la risposta, Vicenzo ci pinsò supra tanticchia. Ma non vitti autre strate. La sò vita senza quella picciotta non arrinisciva a immaginarisilla, non aviva cchiù significato. No, l'unica soluzioni era quella, non c'erano santi.

«Un modo ci sarebbi».

«E quali?».

«L'unico. Non l'accapisci da tia stissa quali?».

Si taliaro.

S'accapero.

Tornaro a vasarisi alla dispirata.

Nel doppopranzo Vicenzo si nni annò a cacciari al lachetto.

Pigliò dù folaghe e 'na quaglia, le 'nfilò nel carneri e aviva addiciso di tornarisinni a Vigàta quanno gli vinni un pinsero.

Allura pigliò i tri armàli dal carneri e li ghittò in acqua.

S'arricampò presto, che il magazzino era ancora aperto e Manueli stava parlanno con un clienti.

Quanno finì, spiò a Vicenzo com'era annata la caccia.

«Nenti pigliai».

Niscenno per annare al circolo, passò dalla taverna di Nirìa indove sapiva d'attrovari a Ciccio Spanò.

Gli dissi che voliva pagari tri primissi 'nticipati, vali a diri jovidì, vinniridì e sabato, e che sabato si sarebbi portato a 'na pirsona.

Il camperi si 'ntascò il dinaro e dissi che annava beni.

Allura Vicenzo gli addimannò, avenno l'ariata di parlari tanto per parlari, se per caso a Mannarella ci stavano armàli grossi.

Ciccio Spanò gli arrispunnì che c'erano cignali, ma che s'attrovavano in una speci di riserva alla quali abbadava un vecchio viddrano che addipinniva da lui.

Vicenzo sapiva ogni cosa e dei cignali e del guardiano della riserva, che po' era il marito di 'Ngilina, pirchì gliel'aviva contato la picciotta. E supra a 'ste notizie basava il sò piano.

Ma fici finta di non sapiri nenti.

«Ci potiti parlari al guardiano?».

«Certo. Che ci devo diri?».

«Che sabato voglio annare a caccia di cignali».

«Vidissi che allura ci sunno da pagari 'n'autri vinti liri».

«Ecco le vinti liri. Mi spiegati come fazzo ad arrivarici?».

La sira, al circolo, s'apprisintò con 'na facci da dù novembriro.

«Che aviti, don Vicè?».

«La sfortuna mi tornò. Lo sapiti? Passai l'intera jornata a sparari e nenti pigliai. Meno mali che non c'era nisciuno nei paraggi, masannò capace che l'ammazzavo».

Il mercoldì matina vinni chiamato dal diligato che gli revocò la diffida e gli raccomannò prudenzia.

Oramà che aviva pigliato la decisioni di fari quello che doviva fari, tutto il nirbùso di Vicenzo era scomparuto.

Il jovidì di matina presto si nni partì per Mannarella.

'Ngilina era alla finestra ad aspittarlo.

Stetti sulo un'orata con lei, un minuto chiossà sarebbi stata 'na soffirenzia 'nsopportabili.

Po' s'avviò verso la riserva seguenno la spiegazioni di Ciccio Spanò.

Accapì d'essirici arrivato quanno s'attrovò davanti a 'na barrera fatta di 'na triplici filera di filo spinato rinforzato àvuta quanto 'n omo. La seguì per scopriri indov'era la trasuta.

Fatti un cintinaro di metri l'attrovò, ma era chiusa da un cancello di ferro.

Lo forzò con le mano e il cancello si raprì tanticchia.

Trasì, ma fatti dù passi sintì 'na voci d'omo.

«Fermo!».

Si bloccò.

Da darrè a 'na macchia di piante sarbatiche vinni fora il vecchio marito di 'Ngilina.

«Ccà non potiti trasire».

«Lo saccio, ma siccome mi ero mittuto d'accordo con Ciccio Spanò per sabato...».

«Oj è jovidì, mi pari» fici, grevio, il vecchio.

«Vabbeni. Bongiorno».

Il vecchio non gli arrispunnì.

Si era 'mparato la strata, questo era l'importanti.

Dalla casuzza di ligno alla riserva ci voliva 'n'ura scarsa, per arrivari al laco ci 'mpiegò 'na mezzorata abbunnanti.

Il tempo che passò al lachetto gli fruttò un grosso coniglio che ghittò in acqua.

«Che pigliò?» gli spiò Manueli appena che lo vitti.

«Nenti».

«Ci volivo diri» fici il picciotto «che m'arrivaro il porto d'armi e il primisso di caccia».

«Beni. Sabato, che è festa e il magazzino è chiuso, veni con mia».

Era cchiù sicuro aviri un tistimonio.

Al circolo, Vicenzo non fici che lamintiarisi della jornata persa.

«Nenti, 'na parentesi fu. Oj c'erano tanti armàli che non pariva vero. E io spara chi ti spara... Sugno tornato a essiri la schiappa che sugno sempri stato».

Il vinniridì, mentri si nni stava arrampicato alla finestra tinennosi alle sbarri, gli scappò di prigari a 'Ngilina di darigli la forza nicissaria a fari quello che doviva fari.

La picciotta ci pinsò supra un momento e po' dissi:

«Scinni, spogliati nudo e po' riacchiana».

Vicenzo fici come gli aviva ditto 'Ngilina. Ma la finestra non era accussì àvuta da potiri continiri il corpo 'ntero di Vicenzo, accussì la picciotta ebbi a disposizioni prima la parti di supra e po' quella di sutta.

Appresso fu Vicenzo, con lo stisso sistema, a godiri del corpo di 'Ngilina.

Doppo Vicenzo annò a caccia nel lachetto.
Tri folaghe, 'na quaglia, un coniglio.
Gli chiangì il cori a dovirisinni sbarazzari, ma doviva farlo. Tutti avivano a cridiri che non era cchiù capaci di mirari bono.

Il sabato, mentri s'addiriggivano verso Mannarella, Vicenzo 'nformò a Manueli che le cartucce che gli aviva dato 'nzemmula al fucili erano carricate a pallini, mentri le sò lo erano a pallettoni.
«Pirchì fici accussì?».
«Pirchì io mi nni voglio ghiri a caccia di cignali mentri tu ti nni stai al laco».
«Pozzo viniri con vossia?».
Era proprio quello che gli voliva sintiri diri.
«Che ci veni a fari? Tanto con le cartucce che hai non gli poi sparari».
«Non m'importa, talio a vossia».
«E vabbeni».
Davanti al cancello della riserva li aspittava il vecchio.
«Vi fazzo strata» dissi accomenzanno a caminare avanti a loro. «Tiniti pronti i fucili pirchì ccà i cignali venno fora all'improviso».
Vicenzo si tinni pronto, Manueli ristò col fucili a tracolla.
Non avivano fatto trenta metri che tutto 'nzemmula un cignali enormi spuntò da darrè 'na grossa troffa e puntò verso il guardiano.
Viloci come un furmine, Vicenzo sparò.

Il cignali scappò. Il vecchio cadì 'n terra morto, aviva un gran pirtuso 'n mezzo alle spalli.

«L'ammazzò!» gridò giarno come un catafero Manueli.

Vicenzo, che la scena che doviva fari se l'era ripassata a mimoria decine di vote, s'agginocchiò 'n terra, lassò cadiri il fucili, si accomenzò a strappari i capilli facenno voci alla dispirata.

«L'ammazzai! Mallitto a mia! L'ammazzai!».

E principiò a chiangiri lamintiannosi.

S'ammaraviglìò pirchì il pianto gli era vinuto naturali e forsi chiangiva di filicità al pinsero che ora 'Ngilina era libbira e sarebbi stata tutta sò.

Non provava il minimo rimorso per quello che aviva fatto, anzi ne era orgogliuso come di un'opira di justizia.

Manueli gli s'agginocchiò allato, circò di confortarlo.

«Non facissi accussì, disgrazia fu!».

Ci vosi 'na mezzorata bona pirchì Vicenzo fusse 'n condizioni di stari addritta e caminare appuiannosi a Manueli.

«Mi dassi il sò fucili» dissi a un certo momento il picciotto «accussì camina cchiù commodo».

Vicenzo glielo detti.

«Ora che vi siete abbastanza calmato» dissi il diligato «raccontate i fatti esattamente come sono andati».

Manueli parlò circanno di firmari il trimolizzo che l'agitava tutto.

«Doppo tanticchia che eramo trasuti nella riserva, spuntò un cignali. Don Vicenzo sparò e 'nveci di pigliari alla vestia pigliò 'u guardiano che era avanti a nui. Disgrazia fu, pozzo giurarlo sutta all'occhi di Dio!».

«Andate avanti» fici il diligato.

«Don Vicenzo, mischino, pariva nisciuto pazzo. Non si riggiva addritta. 'Na mezzorata appresso arriniscii a farlo susiri e principiammo a tornari. Doppo manco un quarto d'ura di caminata mi dissi che aviva bisogno d'arriposarisi. S'assittò 'n terra con le spalli appuiate a un àrbolo, la testa ghittata narrè, l'occhi chiusi».

«Il suo fucile in quel momento dov'era?».

«Allato a lui. Se l'era livato di tracolla prima d'assittarisi».

«Andate avanti».

«E che aio d'annare avanti? M'allontanai un momento per fari un bisogno e tutto 'nzemmula sintii 'no sparo. Corrii e... Don Vicenzo si era sparato appuiannosi la vucca della canna al collo e...».

Non potti continuari, ora trimava che pariva un àrbolo nella timpesta.

La notizia della tragica fini del marito fu il diligato a portarla a Teresina.

Manueli, dispirato, ci annò appresso.

Teresina sbinni, po' rinvinni e si voliva ghittari dal balconi. Fici tanti e tali pazzie che il diligato s'apprioccupò e mannò a chiamari il medico.

Il quali, visto e considerato che non arrinisciva a carmarla, le fici 'na gnizioni.

«Dormirà cinco o sei ure».

«E quando si risveglia che succede?» spiò il diligato.

Po' fici 'na pinsata e dissi, arrivolto a Manueli:

«Voi stanotte non potreste dormire nel magazzino? Così, se sentite qualche rumore, salite e...».

«Certamenti» dissi Manueli.

Verso le quattro di notti si sintì chiamari a voci vascia:

«Manueli, Manueli...».

Il picciotto si susì da supra ai sacchi indove si era stinnicchiato, acchianò la scaletta di ligno, trasì nell'appartamento.

Teresina si era ghiuta a ricorcari. Appena lo vitti, gli sorridì.

«Non te l'avivo ditto che sarebbi stato facili?» dissi Manueli.

E accomenzò a spogliarisi.

# I fantasmi

Questo racconto è apparso per la prima volta nel 2011 su «E», la rivista di Emergency.

# Uno

Turi Persica era l'urtimo, il sabato sira, a nesciri dalla taverna di Nicolò.

Nisciva in quanto Nicolò a un certo punto lo ghittava fora, masannò, se stava a lui, ci sarebbe ristato fino a matino.

Avenno abbonnanti carrico a bordo, si nni caminava verso casa rollanno e beccheggianno, come a 'na navi che avi mari grosso a prua.

La strata che faciva era sempri la stissa.

Via Vittoria, con firmata obbligatoria all'altizza del nummaro vintidù per una pisciatina; via Mameli, con sosta di riposo di cinco minuti supra alli scaluni della chiesa; vicolo Cardillo, stritto stritto e scuroso scuroso, e 'nfini vicolo della Santissima Annunziata al cui nummaro trenta ci stava la sò casa.

Quel sabato sira, quanno la porta della taverna si chiuì alle sò spalli, Turi s'addunò che era da un pezzo che chioviva.

L'acqua cadiva liggera liggera, bastevoli però pirchì lui arrivasse alla sò porta assammarato.

Strata strata non si vidiva anima criata, faciva macari friddo.

«Pacienza» si dissi.

Si isò il bavero della giacchetta e accomenzò a caminare ranto ranto alle case in modo d'essiri tanticchia arriparato dai cornicioni.

A malgrado che chioviva, arrispittò la consuetudini: pisciò in via Vittoria e s'assittò in via Mameli.

Quanno 'mboccò vicolo Cardillo vitti che uno dei dù lampioni che facivano 'na luci splapita era astutato, perciò dintra al vicolo ci si vidiva picca e nenti.

Era arrivato a mità quanno vitti compariri a un omo dall'angolo col vicolo dell'Annunziata che caminava verso di lui.

Data la scarsizza di luci notò che l'omo era vistuto in modo strammo sulo quanno fu a tri passi da lui.

A dù passi s'addunò che la facci dell'omo era tutta bianca.

A un passo accapì che la facci dell'omo era accussì bianca pirchì non era 'na facci, ma 'na crozza di morto.

La crozza di morto si votò verso di lui.

Senza diri 'na parola, Turi cadì stinnicchiato 'n terra.

Sbinuto.

Quanno Suntina, la mogliere di Turi, se lo vitti compariri davanti giarno come un morto, 'ncapaci di parlari, trimanti e coi vistiti assuppati d'acqua e lordi di fango, si scantò.

Mai sò marito si era arriduciuto accussì.

Lo spogliò, lo fici corcari, gli priparò 'na tazza di vino càvudo.

L'indomani Turi, che non era arrinisciuto a chiuiri occhio tutta la notti smanianno e lamintiannosi, aviva la fevri a quaranta.

Suntina pinsò che sò marito si era pigliato la purmunia e corrì a chiamari al dottori Pignatone.

Il quali escludì la purmunia.

E siccome che era un medico bravo, gli vinni il pinsero che Turi aviva provato un grannissimo scanto.

E per le cinco di doppopranzo lo misi 'n condizioni di parlari.

«Un fa... fa... fantasma vi... vitti!».

Un fantasma?

«Senti 'na cosa, quanto vino ti eri vivuto alla taverna?».

«Come 'u solitu, duttù».

«E com'era vistuto 'sto fantasma?».

«Ora che ci penso, era preciso 'ntifico a uno dei tri moschitteri».

Quattro jorni avanti la pillicula dei «Tre moschettieri» era stata proiettata al ginematò e ai paisani era piaciuta assà.

«Sulo che al posto della testa aviva 'na crozza di morto».

«Ti parlò?».

«Nonsi».

Pignatone, arridenno, contò la facenna alla sò 'nfirmera, quella l'arriferì a tri amiche e tempo un dù orate tutto il paìsi vinni a sapiri che Turi Persica aviva viduto un fantasma.

La sira, fu l'argomento principali di discussioni al circolo.

Nisciuno dei soci accridiva ai fantasmi.

E il cavaleri Artidoro Lo Bello ci misi il carrico da unnici arricordanno ai prisenti che lo stisso Turi Persica, cinco anni avanti, niscenno dalla taverna, aviva mittuto a rumori il paìsi sostinenno d'essiri stato aggredito da un orso polari.

Dù notti appresso, il cavaleri Lo Bello fici tardo al circolo jocanno a poker.

Abitava in una villetta con sò mogliere in via Risorgimento che era 'na strata dalla quale si partiva, tra l'autri, macari il vicolo dell'Annunziata.

Il cavaleri aviva perso assà ed era chiuttosto agitato.

E quanno era agitato, usava caminare a testa vascia e parlari da sulo e a voci àvuta.

Tutto 'nzemmula avvirtì 'na prisenza.

Isò l'occhi e s'attrovò davanti a un fantasma.

Prima di mittirisi a corriri facenno voci come un pazzo, ebbi la prisenza di spirito di scinniri dal marciapiedi, masannò il fantasma gli avrebbi sbattuto contro.

«No, egregio amico, non avrebbe potuto sbatterle contro» sintinziò il dottori Columella. «I fantasmi non sono dotati di corpo, sono soltanto delle apparenze».

«E come avrebbi fatto allura 'st'apparenza a passari?» spiò il cavaleri Lo Bello che ancora trimava per lo scanto.

«Per un attimo lei sarebbe stato attraversato dal fantasma. Così come si passa attraverso un banco di neglia».

Pirchì la facenna del fantasma ora era addivintata 'na cosa seria.

Nisciuno dei soci del circolo ne arridiva cchiù.

Fino a che a vidirlo era stato un 'mbriaconi come a Turi, ci potivano essiri cento spiegazioni, ma se l'aviva viduto 'na persona seria come il cavaleri spiegazioni non ci nni erano cchiù.

Ma tra le dù apparizioni del fantasma c'era 'na grossa diffirenzia.

Se quello di Turi aviva un abito come a uno dei tri moschitteri, quello del cavaleri era, in un certo senso, cchiù tradizionali, in quanto si trattava del solito linzolo bianco.

«E al posto della testa aviva la crozza di morto?».

Nenti teschio, questo al posto della testa aviva 'na speci di palla bianca.

«Evidentemente si tratta di due fantasmi diversi» dissi il dottori Columella.

«E pirchì?».

«Non pretenderà che questo fantasma abbia un guardaroba per cui cangia abito ad ogni apparizione! I fantasmi hanno un vestito solo che gli dura per l'eternità».

«Di 'sta facenna dei fantasmi meno si nni parla e meglio è» fici don Sciaverio Ficarra ch'era il sinnaco di Vigàta.

«E pirchì?».

«Pirchì se lo venno a sapiri i giornali, il turismo ne risenti».

«Ma mi faccia il piaciri!» 'ntirvinni il giomitra Attanasio che era l'avvirsario del sinnaco essenno il capo dell'opposizioni. «Anche in questo si vidi la miopia della vostra politica!».

«Si spieghi meglio» dissi il sinnaco.

«Una campagna di stampa ben guidata farebbe accorrere i turisti a centinaia. Lo sa che gl'inglisi segnalano i castelli abitati dai fantasmi nelle guide turistiche?».

«Un momento» fici don Basilio Cottone. «Un fantasma, passi. Ma dù accomenzano a essiri troppi. Se qualichiduno ne vidi un terzo, capace che è principiata 'na proliferazioni di fantasmi, ccà si nni scappano macari l'abitanti!».

«'Na soluzioni ci sarebbi» 'ntirvinni il profissori Simone Pecora che era omo chiesastro.

Tutti, per rispetto, s'azzittero.

«Che cosa sono i fantasmi?» spiò il profissori al giomitra Attanasio.

«Fantasmi» arrispunnì quello che aviva scarsa fantasia.

«I fantasmi» prosecuì il profissori «sono anime che non trovano paci nell'aldilà. Se noi arriniscemo a fargli attrovare la paci, loro si godono la loro paci e noi la nostra».

«Sì, ma come si pò fari?».

«Parlamone con patre Allotta» proponì il profissori.

Patre Allotta era un sissantino sicco e nirbùso, parroco della chiesa matre di Vigàta.

La diligazioni che annò ad attrovarlo era composta dal sinnaco, da don Basilio e dal profissori.

Il quali contò i fatti al parrino.

E po' il sinnaco gli spiò:

«Vossia chi nni pensa?».

«Che sunno tutte minchiate».

Patre Allotta era stimato per la sò fidi e per la sò sirività, ma spisso e volanteri parlava spartano.

«Vossia non ci cridi ai fantasmi?» gli spiò 'mparpagliato il profissori.

«Mi pari d'essiri stato chiaro».

«E pirchì?».

«Figlio mè, se tutti chiddri che non trovano paci nell'aldilà tornassiro 'n terra, a quest'ora sarebbiro cchiù i fantasmi che l'òmini».

«E allura pensa che non c'è nenti da fari?» 'ntirvinni don Basilio.

«Facemo 'na cosa» dissi il parrino. «Se spunta qualichi autro fantasma, tornati ccà e ne riparlamo. Ma ora come ora fari 'ntirviniri a mia mi pari 'na carnevalata aggiunta supra a 'na carnevalata».

Tri notti appresso successi il virivirì.

C'era stata 'na riunioni del partito dell'opposizioni e il giomitra Attanasio si nni stava tornanno alla sò casa che era squasi l'una.

Era 'na notti friddosa assà e il giomitra caminava a passo sverto.

Girato l'angolo di via Cavour, s'attrovò a cinco metri di distanzia dal fantasma.

Contemporaneamenti si raprì il portoni di via Cavour nummaro uno e il commendatori Filiberto Controra nisci fora per annari squasi a cadiri tra le vrazza del fantasma.

Il giomitra e il commendatori si misiro a corriri facenno voci da arrisbigliare i morti.

Ma se non arriniscero ad arrisbigliare i morti, i vivi sì.

'Na quantità di genti s'affacciò alle finestri e ai balconi per vidiri quello che stava succidenno.

Non vittiro al fantasma, ma a dù pirsone che scappavano a grandissima velocità in dù direzioni diverse.

La descrizioni del fantasma, fatta tanto dal commendatori quanto dal giomitra, combaciava pirfettamenti con quella del cavaleri Lo Bello.

Si trattava del fantasma col linzolo e con la palla bianca al posto della testa.

A quanto pariva, il fantasma vistuto come a uno dei tri moschitteri non si era fatto cchiù vidiri.

Ma questo era un dettaglio secunnario, la cosa 'mportanti era che l'urtimo fantasma erano stati in dù a vidirlo nello stisso momento.

Perciò la diligazioni che annò da patre Allotta aviva boni argomenti per convincirlo.

E soprattutto addiciso che la chiesa 'ntirvinisse era il sinnaco, dato che quella matina stissa «Il Giornale dell'Isola» aviva pubblicato un articolo di quel gran cornuto del corrisponnenti locali con un titolo che faciva accussì:

«VIGÀTA INFESTATA DAI FANTASMI».

Patre Allotta disse che sarebbe stato nicissario fari dù cose.

La prima era 'na processioni, la secunna 'na missa sullenne.

«A spisi del comune» pricisò. «E la processioni può esseri limitata».

«Che veni a diri?» spiò il sinnaco.

«Dato che i fantasmi comparino tra via Cavour, via Risorgimento e vicolo dell'Annunziata, tanto vali fari 'na processioni di quartieri».

«Non sugno d'accordo» dissi il sinnaco. «Tutta Vigàta devi vidiri che il comune sta facenno la disinfestazioni dai fantasmi».

Siccome che si era di jovidì, patre Allotta stabilì che la duminica che viniva a mezzojorno ci sarebbi stata la missa sullenne e nel doppopranzo la processioni.

## Due

Vinniridì matina arrivaro col treno da Palermo tri giornalisti forasteri, uno di Milano, uno di Roma e uno di Napoli, che però pottiro 'ntirvistari sulo a Turi Persica, pirchì l'autri s'arrefutaro.

Per arrispunniri alle loro dimanne, Turi disse che aviva bisogno che non gli si siccava la vucca.

Si guadagnò tanto di quel dinaro da potirisi 'mbriacari per un'annata 'ntera.

Comunqui i giornalisti addichiararo che si sarebbiro firmati a Vigàta fino a doppo la processioni, 'ntanto avrebbiro fatto 'ntirvisti alla popolazioni e fotografie delle strate indove il fantasma era comparso.

Ma 'nveci ficiro di cchiù.

Un giornalista, quello milanisi, avenno saputo che uno dell'intervistati s'acchiamava Jachino Porto, si nni niscì con un articolo nel quali sostiniva che il fantasma viduto da Turi era di certo quello del celibri moschitteri Portos, vinuto ad attrovari a un sò discinnenti il quali si era perso strata strata la esse finali del cognomi.

Il giornalista napolitano fici fotografari un linzolo stinnuto ad asciucari supra a un balconi e sostinni nell'articolo che, con molta probabilità, quello era il linzolo di cui si sirviva l'autro fantasma.

Il giornalista romano fici 'na longa 'ntirvista a Tano Vella, scordannosi di diri che l'intervistato si era fatto quinnici anni di manicomio, il quali contò come e qualmenti a Vigàta esistivano ben quattro speci di fantasmi: i moschitteri, i linzolari, che erano già comparsi, i saraceni, che sarebbiro spuntati quanto prima, e i palatini con armatura e cimero che avrebbiro dato battaglia a tutti.

La cosa che fici cchiù raggia al sinnaco fu che accomenzò ad arrivari qualichi turista forastero.

Non potiva dari raggiuni al capo dell'opposizioni.

Po' capitò un fatto 'mprevisto.

La matina di sabato, patre Allotta convocò all'improviso e d'urgenzia la diligazioni.

«Tutto pronto?» spiò il sinnaco.

«C'è cosa?» addimannò don Basilio.

«Novità?» fici il profissori.

La convocazioni, della quali non si sapivano spiegari la raggiuni, l'aviva mittuti in agitazioni.

Il parrino li taliò 'n silenzio a tutti e tri e po' dissi:

«Vi ho fatti viniri per dirivi che non si nni fa cchiù nenti, né della missa sullenne né della processioni».

Aviva parlato con la facci 'nfuscata.

I tri ristaro ammammaloccuti.

«E pirchì?» spiò il sinnaco che si era arripigliato per primo.

«Cazzi mè» dissi patre Allotta.

E non ci fu verso di tirarigli 'n'autra parola dalla vucca.

Un'orata appresso la giunta comunali, arreunita in siduta straordinaria, addicidì che la diligazioni annasse a parlari con Sò Cillenza monsignor Agostino Pinnarello, pispico di Montelusa.

Il sinnaco tilefonò 'mmidiato al sicritario del pispico il quali gli fici sapiri che Sò Cillenza era 'mpignato e non potiva arriciviri la diligazioni prima di lunidì a matino.

Allura il sinnaco convocò 'na confirenza stampa, nella quali disse che patre Allotta, doppo aviri lui stisso proposto la processioni e la missa, si era tirato narrè senza dari spiegazioni e che comunqui, data la situazioni che si era vinuta a criari, aviva addiciso di fari 'ntirviniri a Sò Cillenza il pispico di Montelusa.

I tri giornalisti forasteri cchiù il corrisponnenti locali s'apprecipitaro 'n chiesa, ma l'attrovaro chiusa.

Allura si misiro a tuppiare alla porta della bitazioni del parrino.

Il quali s'affacciò a 'na finestra e addimannò:

«Cu siti?».

«Giornalisti» arrispunnì per tutti il milanisi.

«E che voliti?».

«Un'intervista».

«Annate a fari tutti 'n culu» dissi patre Allotta.

E richiuì la finestra.

«Ma non abbiamo per caso sbagliato casa?» spiò il

romano che non aviva mai 'ntiso un parrino parlari accussì.

«No, non abbiamo sbagliato» fici il corrisponnenti locali.

Non è che Vigàta offriva granni svachi, epperciò i giornalisti, per passari tempo, o jocavano a carti o si facivano longhe passiate molo molo.

Quella duminica sira addicisiro di annare al ginematò, all'urtima proiezioni.

La pillicula finì a mezzannotti e i tri non avivano sonno.

Visto che il cafè Castiglione chiuiva all'una, ci si arrimiggiaro e, dato che faciva friddo assà, si ficiro portari 'na bottiglia di cognac.

Non arriniscero però a finirisilla e allura se la portaro appresso per vivirisilla strata facenno verso l'albergo.

Perciò, a malgrado che lampiava e troniava e un timporali era prossimo, si firmavano spisso e trincavano.

A un certo punto al milanisi scappò di fari un bisogno, non ce l'avrebbi fatta a tinirisilla fino all'albergo.

Perciò si firmò, mentri l'autri dù prosecuero svoltanno l'angolo di 'na traversa.

In quel preciso momento le luci delle strate vinniro a mancari.

Il giornalista aviva appena finuto di svacantarisi la viscica che ebbi come la 'mpressioni che qualichiduno l'aviva toccato a leggio a leggio supra a 'na spalla.

Si votò e, alla luci di un lampo, si vinni ad attrovari facci con facci col fantasma.

Mentri faciva per lo scanto un gran sàvuto narrè annanno a sbattiri contro il muro, il fantasma, che appartiniva alla prima categoria, quella dei moschitteri, parlò con voci cavernosa:

«Vous devè faire une rettificà! Je ne suis pas Portos, mais Aramis! Allez all'anagrafe!».

E scomparse, mentri che il milanisi sciddricava a lento 'n terra dato che le gamme non l'arriggivano cchiù.

L'indomani a matino il giornalista, a malgrado che aviva la fevri a quaranta, si susì e annò all'ufficio anagrafi.

Vero era.

Nel registro c'era scrivuto il nomi di un tali Pasquale Aramì che bitava in via dell'Acqua Amara ed era un povirazzo morto di fami, senza arti né parti.

Col dinaro che gli detti il giornalista, mangiò per qualichi jorno.

Il giornalista, per il sì e per il no, scrissi la smintita: a perdiri la esse finali non era stato Portos, ma Aramis.

Quella matina stissa la diligazioni vinni arricivuta da Sò Cillenza il pispico.

Che era cognito all'urbi e all'orbo per la grannissima prudenzia che mittiva in ogni sò azioni.

Il sinnaco gli contò ogni cosa.

«E che volete da me?».

«Che Vostra Eccellenza si degni d'intervenire su padre Allotta per convincerlo a...».

Il pispico isò 'na mano.

«Non lo posso fare. Sarebbe un'indebita ingerenza. Don Allotta avrà avuto le sue buone ragioni».

Il sinnaco non si persi d'animo.

«Eccellenza, a Vigàta ci stanno altre cinque chiese, a parte la matrice».

«Lo so benissimo. E dunque?».

«Non potrebbe, al posto di don Allotta, uno di questi parroci...».

Il pispico isò novamenti la mano.

«Non possumus. Don Allotta è sì primus inter pares, ma sempre primus. Sarebbe un attentato alla sua autorità».

Il sinnaco allura tirò fora l'asso dalla manica.

Fici la facci prioccupata.

«Questo viene a significare una cosa sola: che l'opposizione l'avrà vinta e l'amministrazione della quale sono a capo dovrà dimettersi».

«Ah!» fici Sò Cillenza.

«E i comunisti piglieranno la maggioranza» rincarò il sinnaco.

«Ah!» arripitì il pispico.

Si nni stetti tanticchia muto e po' dissi:

«Forse una soluzione ci sarebbe».

Il commissario di pubblica sicurezza di Vigàta, Tano Bennici, era 'no sbirro nato.

Quanno vinni a sapiri la facenna capitata al giornalista milanisi, lo fici viniri 'n commissariato.

C'era macari un agenti che scriviva a machina ogni cosa.

«Mi racconti com'è andata».

Quello gli dissi tutto.

«Lei quindi si è sentito toccare a una spalla?».

«Ho avuto questa impressione».

«No, cerchi di essere preciso. È stato toccato o ne ha avuto solamente l'impressione?».

«Ma che importanza ha? Il fatto è che mi sono voltato!».

«Senta, egregio, glielo dico una sola volta e per tutte. Sono io che decido cosa è importante e cosa no, chiaro?».

Il giornalista pinsò che la meglio, con un tipo simili, era di starisinni bono.

«E dopo il fantasma le ha parlato?».

«Sì, con voce cavernosa».

«Questo si spiega. Probabilmente è raffreddato. Col freddo che fa!» disse il commissario.

E si misi a ridiri.

In un lampo, il giornalista si vitti perso.

Accapì che non sulo lo sbirro non gli cridiva, ma che aviva 'n testa qualichi malo pinsero.

«Mi creda, commissario...».

«E le ha chiesto una rettifica?».

«Proprio così!».

«Ma lei a chi vuole pigliare per il culo?» sbottò il commissario. «Quando mai un fantasma ha domandato una rettifica? Quando mai un fantasma ha parlato dell'ufficio anagrafe?».

«Ma lei che ne sa di come si comportano i fantasmi?» reagì il giornalista isanno la voci.

Fu un errori.

«Io me ne fotto di come si comportano o non si comportano! Sa che faccio? Io la denunzio per turbamento dell'ordine pubblico!».

Appena nisciuto fora dal commissariato, il giornalista si nni corrì all'albergo e chiamò la direzioni del giornali a Milano.

All'indomani il giornali stampò un articolo a tutta pagina:

«GRAVISSIMO ATTENTATO ALLA LIBERTÀ DI STAMPA».

Arrivaro telegrammi di solidarietà dal presidenti del sinnacato dei giornalisti, dal presidenti della Federazioni della stampa, dal partito comunista, dalla CGIL.

Il commissario Bennici vinni chiamato dal questori che gli fici 'na cazziata sullenne.

Il risultato fu che arrivaro autri dù giornalisti, uno di Torino e uno di Genova.

L'opposizioni addimannò le dimissioni del sinnaco.

Il quali reagì dicenno che non vidiva la raggiuni di dimittirisi in quanto l'indomani ci sarebbe stata 'na grossa novità.

## Tre

La novità promissa ci fu, ma fu amara assà per il sinnaco.

'Nfatti l'indomani a matino la diligazioni vinni chiamata dal sigritario del pispico al palazzo viscovili.

Sò Cillenza Pinnarello appariva tanticchia 'mbarazzato.

«C'è stato uno spiacevole equivoco» disse. «E penso sia doveroso da parte mia riferirvelo».

Il sinnaco si sintì moriri il cori.

«Di che si tratta?».

«Come vi dissi l'autra vota, mi ero riproposto di far venire qua don Agazio Palinferro, che è un notissimo esorcista che vive in Basilicata...».

«E non è venuto?» spiò il sinnaco.

«Di venire, è venuto» fici il pispico. «Anzi, si è generosamente sobbarcato a un viaggio terribile per la sua età».

«Quanti anni ha?» addimannò don Basilio.

«Novanta. Ma è ancora lucido e vigoroso».

«Mi perdoni, ma l'equivoco?» 'ntirvinni il profissori.

«Ecco, ieri sera don Agazio, pur essendo stremato

dal viaggio, ha voluto venirmi a salutare. E qui è saltato fuori l'equivoco».

«Sì, ma di che si tratta?».

Il sinnaco stava accomenzanno a perdiri la pacienza.

«Ecco, io ho parlato con Sua Eccellenza il vescovo di Napoli, gli ho raccontato la faccenda e l'ho pregato di dire a don Agazio di venire qua. E quello è venuto».

«Ma dov'è l'equivoco?» spiò il profissori.

«L'equivoco nasce dal fatto che Sua Eccellenza il vescovo di Napoli ha detto a don Agazio di correre subito a Montelusa perché c'era bisogno di lui. E don Agazio ha obbedito».

Il sinnaco, dintra di lui, principiò a biastemiari.

«Ma ieri sera» continuò il pispico «quando gli ho parlato di fantasmi, è caduto dalle nuvole. Nessuno gliene aveva fatto cenno. Credeva di essere stato chiamato per liberare degli indemoniati. Una cosa sono i diavoli, ha detto, e una cosa sono i fantasmi. Ha aggiunto anche che con questi ultimi non ha nessuna confidenza».

«E quindi?» spiò il profissori.

«E quindi ha deciso di riposarsi ventiquattr'ore e poi di ripartirsene».

«Non può farlo» dissi addiciso il sinnaco. «Ci rovina».

Il pispico allargò le vrazza.

«Per sua consolazione posso dirle che ho telefonato in Vaticano per sapere se esistono preti abilitati a esorcizzare i fantasmi. Mi ha risposto il cardinale Spannocchia in persona, è la massima autorità in materia, chiarendomi che la categoria a tutti gli effetti non fa parte delle schiere diaboliche. Tutt'al più si tratta di anime irrequiete, bisognose di preghiere».

Il profissori fici 'na pinsata.

«Eccellenza, potremmo parlare con don Agazio?».

«Certamente».

Il pispico sonò un campanello, trasì il sigritario.

«Accompagni questi signori da don Palinferro».

Patre Agazio faciva 'mpressioni.

Era priciso 'ntifico a 'no scheletro assittato supra a 'na pultruna.

Il sinnaco gli arrifirì quello che era capitato a Vigàta dall'apparizioni del primo moschitteri in po'.

«Ho capito benissimo» disse il parrino. «E non posso fare altro che confermare quanto ho detto a Sua Eccellenza».

«Ma a noi basterebbe che lei venisse a Vigàta, impartisse una benedizione ad alcune case del quartiere e...».

«Ma non si tratta di benedizioni!» scattò don Agazio. «Si tratta di esorcismi! Io, dopo un lungo combattimento, riesco a scacciare il demonio che si è impossessato di un corpo umano! Lo capite o no? E qui mi pare che nessun fantasma si sia impossessato di nessuno!».

«E chi ce lo dice?» fici don Basilio.

«Ma figlio mio, queste persone che hanno incontrato i fantasmi, cadono a terra contorcendosi? Hanno la bava alla bocca? Bestemmiano? Dicono oscenità? Rinnegano Dio?».

«Per la verità, no».

«E allora?».

E proprio in quel momento, quanno tutto pariva perso, il dimonio, certamente lui, dissi 'na cosa all'oricchio del sinnaco.

«Lei quando se ne riparte, padre?» spiò al parrino.

«Dopodomani pomeriggio».

Il sinnaco arrivò 'n municipio correnno alla velocità di un furgaroni, seguitato a tri passi di distanzia dagli altri dù della diligazioni che non ce la facivano a starigli allato.

«Trovami a Turi Persica e portamillo ccà senza perdiri un minuto» dissi alla prima guardia comunali che s'attrovò davanti. «Digli che c'è un problema per il rinnovo della licenza».

Turi Persica aviva 'na bancarella al mercato del pisci.

«Scusi» fici don Basilio appena la guardia fu nisciuta «ma lei ci ha fatto fari tutta 'sta gran curruta, e 'sta gran sudata, sulo pirchì Turi non avi la licenza a posto?».

«Chiuiti la porta e statimi beni a sintiri» dissi il sinnaco.

Il profissori la chiuì.

«Mentri parlavo con don Agazio m'è vinuto di fari 'na pinsata. E se metti caso stasira Turi, doppo aviri veduto novamenti il fantasma, addiventa un indemoniato? Patre Agazio, in questo caso, non sarà obbligato a 'ntirviniri?».

«Io penso di sì» dissi don Basilio.

«Io nni sugno sicuro. Patre Agazio gli fa gli scongiuri, alla scena facciamo assistiri la stampa e la giunta è salva. I comunisti se la possono annare a pigliari in quel posto».

«Ma Turi accetterà?» spiò il profissori.

«C'è un argomento col quale Turi si convinci sempri. Questo» concludì il sinnaco.

E stropicciò il pollice e l'indici.

Quella sira Turi annò alla taverna un'orata prima del solito.

Perciò alle unnici era già 'mbriaco come a 'na signa. Murmuriò un saluto e niscì fora. Faciva un friddo che tagliava la facci.

Lo scarricatori portuali Micheli Blandino, con la mogliere Sciaveria, bitava al pianoterra di vicolo Cardillo nummaro tridici, il carritteri Cosimo Barlacca, con la mogliere Mansueta e dodici figli, bitava puro lui al tridici ma al primo piano, mentri il guardio notturno Giurlanno Sofà, con la mogliere Afflitta e tri figli, stava 'n facci a loro, al vintidù, dall'autra parti del vicolo.

Tutte queste pirsone, che potivano essiri massimo le unnici e mezza, sintero la voci dispirata di un omo che faciva:

«Aiuto! Il fantasma! Aiuto! Il fantasma!».

Giurlanno Sofà, Afflitta e i tri figli raprero il balconi e s'affacciaro; Micheli Blandino, mentri Sciaveria s'affacciava al balconi, scinnì in strata; Cosimo Barlacca,

Mansueta e tutti i dodici figli, compreso Robertino di anni quattro, s'apprecipitaro nel vicolo.

Arracconobbero a malappena, nell'omo che s'arrutuliava 'n terra con 'na vava biancastra alla vucca, e biastimiava e santiava contro Dio, la Madonna e tutti i santi, a Turi Persica.

Micheli Blandino era quello che l'accanosciva meglio.

Perciò gli s'avvicinò, si calò verso di lui e gli spiò:

«Che ti senti, Turi?».

Per tutta risposta arricivitti un potenti càvucio nei cabasisi che lo fici cadiri 'n terra. Si mise a lamintiarisi per il dolori.

Allura Turi si susì con l'occhi spirdati e fici, con una voci accussì cavernosa e potenti che lo sintì tutto il vicolo:

«Non sugno Turi, 'u dimonio sugno!».

E mentri tutti si nni scappavano facennosi la croci e dicenno giaculatorie, il guardio notturno Giurlanno Sofà pinsò bono di scarricare in aria tutto intero il caricatore del sò revorbaro.

Manco deci minuti appresso sul posto s'attrovaro il sinnaco, il vici sinnaco, don Bartolo, i sei giornalisti, il commissario Bennici e dù agenti.

Cchiù 'na trentina di paisani.

Turi si era livato tutti i vistiti e continuava a rutuliarisi 'n terra biastemianno.

«È chiaro che l'anima addannata del fantasma gli è trasuta dintra» disse il sinnaco.

«E ora che facemo?» spiò don Bartolo.

«Domani matina presto vado a Montelusa e fazzo viniri il bravo esorcista che è arrivato» fici il sinnaco.

«Ma non si può lasciarlo così tutta la notte» disse Bennici. «Se volete, lo posso portare in commissariato. Lo metto in cella di sicurezza e lo faccio macari sorvegliare, accussì non fa danno né a se stesso né agli altri».

«D'accordo» dissi il sinnaco.

Appena che i dù agenti gli misiro le mano di supra, Turi reagì a pidate e a cazzotti.

Doppo un quarto d'ura di lotta, l'agenti ebbiro la meglio. Ma si scordaro di pigliari macari i vistiti di Turi che nella confusioni non s'accapiva indove erano ghiuti a finiri.

Doppo tanticchia, uno dei dù agenti s'apprisintò a Bennici che era nel sò ufficio.

«Vado a pigliarigli i vistiti».

Tornò doppo 'na mezzorata.

«Non c'era cchiù nenti. I giornalisti e quelli del vicolo si sono spartuta la robba».

«Com'è la cella?».

«Fridda assà».

«Vabbeni, dagli 'na coper...».

Si firmò, taliò all'agenti.

«Avisti tu l'idea d'annare a pigliarigli i vistiti?».

«Nonsi. Me lo spiò lui. Mentri stava a rutuliarisi e a biastimiare, si firmò, mi taliò e dissi: "Pi favuri, vammi a pigliari i vistiti masannò ccà moro di friddo". Accussì dissi».

Bennici ristò tanticchia pinsoso. Po' parlò:

«Piglia un cato dallo sgabuzzino. Inchilo con l'acqua cchiù fridda che attrovi e portamillo ccà».

«Dal cannolo pubblico la pigliai, ghiazzo pare» fici l'agenti tornanno.

«Annamo».

Si susì, niscero dall'ufficio, si firmaro davanti alla cella.

Turi continuava a rutuliarisi e a santiari.

«Rapri la porta» dissi il commissario.

L'agenti raprì.

«Dammi il cato».

L'agenti glielo passò, il commissario lo pigliò con le dù mano e scagliò l'acqua gelita, con tutta la forza che aviva, contro a Turi.

Il quali si firmò di botto, si susì a mezzo e dissi, arraggiato:

«E che minchia! Mi voliti fari viniri la purmunia?».

«Vai a inchiri novamenti il cato» fici il commissario all'agenti, per tutta risposta.

Turi confissò alli tri di notti.

Oramà era accussì 'mbarsamato per il friddo che pariva priciso 'ntifico a un baccalà.

Alli otto del matino Bennici tilefonò al questori.

«Ho la confessione firmata, signor questore. Il sindaco gli aveva promesso cinquemila lire in contanti e la licenza gratis».

«Va bene, ho capito. Ma non dica niente a nessuno, è un ordine, ne va della sua carriera».

Alli otto e mezza il questori chiamò a Sò Cillenza il prifetto.

«Signor questore, mi raccomando caldamente! Dica a questo suo commissario di tenere la bocca chiusa! Cristo, se questa faccenda la vengono a sapere i giornalisti, qua rischiamo di saltare tutti!».

Alle novi Sò Cillenza il prifetto tilefonò a Sò Cillenza il pispico di Montelusa.

«Per carità di Dio, che nessuno ne sappia niente! Se trapela qualcosa di questa storia, caro prefetto, consegniamo il comune di Vigàta ai comunisti!».

Alli novi e mezza il sinnaco s'apprisintò al sigritario di Sò Cillenza il pispico e gli disse che doviva parlari d'urgenzia con don Agazio.

«Non può riceverla. Sta facendo le valigie. Tra mezz'ora parte, ha anticipato».

«Ma si tratta di un indemoniato che ha necessità assoluta di soccorso, d'aiuto...».

«A questo proposito, Sua Eccellenza ha qualcosa da dirle. Mi segua» fici il sigritario.

Il sinnaco accapì che c'era timpesta in arrivo.

## Quattro

Quello stisso doppopranzo il sinnaco tinni 'na confirenza stampa.

Spiegò che l'eminenti esorcista don Agazio Palinferro, che s'attrovava a Montelusa per il caso dei fantasmi, aviva voluto vidiri nelle prime matinate a Turi Persica e già dal primo esami si era fatto pirsuaso che Turi non era posseduto da un demonio, ma che si trattava di un caso di delirium tremens dovuto all'eccesso di vino. Pertanto Turi era stato arricovirato in una clinica palermitana per disintossicarisi.

Le cose stavano a 'sto punto quanno il quarantino rapprisintanti di comercio Anastasio Consatore, che almeno tri vote a simana si nni partiva per Palermo coll'urtimo treno delle novi di sira, arrivò tardo alla stazioni.

Il treno si nni era già ghiuto da tri minuti. E non c'erano cchiù corse.

Era amico del capostazione e quello, per acconsolarlo, lo 'nvitò a la sò casa a vivirisi un bicchieri di vino.

I bicchieri addivintaro dù buttiglie.

Anastasio tornò da sò mogliere che era mezzannotti passata.

Raprì il portoni e sintì che il cori gli cadiva 'n terra.

Aviva davanti a un fantasma della categoria tradizionali, quella col linzolo.

Fici 'na gran vociata e si nni scappò pisciannosi d'incoddro.

Fatti ducento metri si firmò.

Lui e sò mogliere Virginia, che aviva vintisei anni ed era 'na vera biddrizza, bitavano da suli in una palazzina in vicolo dell'Annunziata.

Gli vinni un sospetto tirribili.

E se il fantasma era arrinisciuto ad approfittarisi di sò mogliere, povira 'nnucenti nelle mano di un mostro che ne avrebbi potuto fari quello che voliva?

Armatosi di coraggio, tornò narrè.

Del fantasma manco l'ùmmira, sempri che i fantasmi abbiano l'ùmmira.

Il portoni era ristato aperto. Chiusa era inveci la porta di casa. Tentò di rapriri con la chiavi ma c'era il paletto.

«Cu è?» spiò la voci scantatissima di Virginia.

«Anastasio sugno».

Virginia gli raprì, completamenti nuda, e gli si ghittò trimanti tra le vrazza.

«Maria, che scanto che mi pigliai! Un fantasma, spuntato 'mproviso dintra alla nostra càmmara di letto, mi voliva fari fari la cosa!».

Anastasio aggiarniò.

«Che cosa?».

Virginia arrussicò.
«La stissa cosa che mi fai fari tu il sabato notti».
«Ci arriniscì?».
«No, la biata Virgini e tu m'aiutastivu!».
«Trasemo dintra e contami come fu».
Trasero dintra.
«Pirchì non hai la cammisa di notti?».
Virginia s'ammostrò meravigliata. Si taliò. Raprì e chiuì la vucca senza diri nenti. Arrussicò novamenti.
«Aspetta che mi staio arricordanno» dissi.
«Contami come fu».
«Stavo dormenno» fici Virginia. «E tutto 'nzemmula m'arrisbigliai pirchì sintivo friddo. Raprii l'occhi e vitti al fantasma ai pedi del letto. Agghiazzai, 'no scanto che non si pò diri, non potivo manco fari voci. Allura il fantasma s'avvicinò, sollivò la coperta, m'affirrò per un vrazzo e mi fici susiri. Po', con un colpo sulo, mi sfilò la cammisa di notti. Maria, che vrigogna! Sdisonorata sugno!».
«E po' che capitò?».
«Mi... mi... mi vasò!».
«Unni?» spiò Anastasio con una speci di ruggito lionino.
«Ccà» fici Virginia pudicamenti abbascianno l'occhi e indicanno la minna mancina.
«E po'?».
«E po' mi lassò. Forsi dovitti sintiri che tu stavi raprenno il portoni. Scomparse accussì come era vinuto».
Anastasio Consatore appartiniva all'opposizioni.

«Vestiti, mentri io mi cangio i pantaluna ca si vagnaro. Cadii in una pozzanghira».

«E unni ghiemo?» spiò Virginia.

«Dal giomitra Attanasio».

L'indomani a matino a mezzojorno l'opposizioni, nella pirsona del giomitra Attanasio che aviva allato ad Anastasio Consatore, tinni 'na confirenza stampa. Alla quali, per semplici curiosità, annò macari il commissario Bennici. La signura Virginia non era prisenti pirchì aviva la fevri in conseguenzia dello spavento pigliato.

Il giomitra dissi che nella nuttata era capitato un fatto gravissimo.

Un fantasma aviva tintato di usari violenza alla signura Virginia Consatore e sulo il timpistivo, coraggioso 'ntirvento del marito aviva evitato il pejo. Allura il giornalista romano addimannò la parola e principiò:

«Ma se i fantasmi non hanno corpo, come avrebbe potuto...».

Il giomitra l'interrompì.

«La sua osservazione è giusta. Ma vede, io ho detto fantasma per intenderci. Un fantasma non avrebbe potuto prendere per un braccio la signora, denudarla e baciarle la...».

«Basta accussì» 'ntirvinni torvolo Anastasio Consatore.

Nella testa di tutti i mascoli prisenti passò la stissa pricisa 'ntifica dimanna: che le aviva vasato il fantasma?

«Ma se non è un fantasma, allora...» fici il giornalista milanisi.

«Allora» disse il giomitra «si tratta di un farabutto che voleva approfittarsi della signora spacciandosi per fantasma. E questo significa che non c'è sicurezza per i cittadini! Significa che questa giunta non è in grado di fronteggiare l'emergenza fantasmi e le sue dirette e indirette conseguenze. Non c'è che una strada da percorrere: le dimissioni immediate del sindaco!».

E annò avanti accussì per una mezzorata. Ma 'ntanto il commissario si nni era nisciuto. Aviva sintuto quello che gli 'ntirissava.

E si era fatta un'idea precisa.

Quella sira stissa Anastasio si nni dovitti partiri per Palermo e Virginia, che si scantava a ristari sula, annò 'n casa di sò soro cchiù granni che era vidova e senza figli.

E fu lì che l'annò ad attrovari, alle deci di sira, il commissario Bennici.

E quanno accomenzò a parlari con Virginia, vosi che la soro ristasse nella càmmara.

«Signora, sono venuto a disturbarla a ora accussì tarda pirchì non volivo che qualichiduno mi vidiva trasire ccà».

«A mia la cosa non mi fa né càvudo né friddo! Io fìmmina onesta, sugno! E lo sanno tutti!» sclamò, risintuta, Virginia.

«Signora, lei forsi non si fa capace che un tintativo di violenza carnali è cosa seria assà e il mio doviri sarebbi stato di convocarla immediatamente in commissariato. Le ho voluto sparagnare tutte le chiacchiere che si sarebbero scatinate».

«Grazii» fici sostinuta Virginia. «Ma io ho contanto già a mè marito e al giomitra Attanasio...»

«Ma io, signora mia, ci sono andato alla confirenza stampa! Non è questo che voglio sapiri!».

«E che cosa voliti sapiri, allura?».

«Lei ci va 'n chiesa?».

Virginia strammò, non s'aspittava quella dimanna.

«Certo!».

«E si confessa con patre Allotta?».

«Qualichi vota. Ma mi spiega che ci trase patre Allotta?».

«Mi sono sempri spiato pirchì il parrino, doppo aviri stabilito col sinnaco che avrebbi fatto fari 'na missa sullenne e 'na processioni, il jorno doppo cangiò idea».

«E arriniscì a darisi 'na risposta?».

«Sì. Che qualichiduno annò a confissarisi e a dirigli che non era il caso né di diri la missa né di fari la processioni pirchì il fantasma non era un fantasma».

Si taliaro occhi nell'occhi. E allura Virginia dissi a sò soro:

«Per favori, mi lassi cinco minuti sula col commissario?».

Per tanticchia non parlaro, sempri taliannosi. Po' Virginia si misi a chiangiri.

«Annai a confissarimi con patre Allotta pirchì mi pariva che facenno fari la missa e la processioni io saria caduta in doppio piccato mortali».

«Ho capito tutto. Ma pirchì il sò amanti si travistì da fantasma col linzolo?».

«L'idea gli vinni doppo che spuntò il fantasma del moschitteri. Accussì potiva viniri a trovarimi di notti senza che nisciuno l'arraccanosciva».

Ripigliò a chiangiri alla dispirata.

«Se vossia l'arresta, succedi 'no scannalo e io sugno consumata, Anastasio mi ghietta fora di casa!».

«La cosa si può aggiustari» fici Bennici.

«E così il fantasma col lenzuolo scomparirà per sempre. A poco a poco non se ne parlerà più. I giornalisti, non avendo più notizie da dare, se ne ripartiranno... La signora Virginia Consatore mi ha giurato e spergiurato che non vedrà più il suo amante. E del resto l'ho avvertita: se il fantasma sarà visto di nuovo, manderò in galera a tutti e due».

«Lei è stato bravissimo» disse il questore. «Oltretutto la soluzione resterà sconosciuta e non ci saranno ripercussioni politiche. Ma rimane, come dire, a piede libero il fantasma del moschettiere. E se quello ricompare, siamo daccapo a dodici».

«Avrei un'idea» fici Bennici.

E gliela disse.

Se il punto di partenza per arrivari alla soluzioni del caso del fantasma col linzolo era stato il rifiuto di patre Allotta di mantiniri la promissa, il punto di partenza per il primo fantasma era stata 'na dimanna che Bennici si era fatta.

«Ma quante sono le pirsone a Vigàta che possono aviri 'n casa un costumi di moschitteri?».

E fu proprio la parola costumi a farigli fari la pinsata risolutiva.

Quann'è che uno si metti 'n costumi? A Carnivali.

Il Carnivali a Vigàta non si fistiggiava strate strate. O almeno, i picciliddri sì. Ma i granni facivano un viglioni in maschira al circolo e basta.

Nel doppopranzo annò dal fotografo Agnello che fotografava tutto quello che capitava a Vigàta, matrimoni, vattìi, funerali, balli...

«Ce l'hai i nigativi dei viglioni di Carnivali dell'urtimi cinco anni?».

«Sissi».

«Stampamilli».

«Ma sunno 'na quantità! Chi paga?».

«La questura».

Li ebbi doppo tri jorni. E si nni stetti tri jorni e tri notti a taliarisi e a ritaliarisi le fotografie. Nisciun costumi di moschitteri.

Però il sò occhio di sbirro notò 'na poco di cose.

Per esempio che mentre le fìmmine cangiavano costume ogni anno, i mascoli si rimittivano lo stisso tutti l'anni.

Il sinnaco era sempri vistuto da Zorro, il giomitra Attanasio con una tuta da operaio russo... Sulo il dottori Alessio Marchitella, che era un quarantino scherzevole, allegro e amicionaro, cangiava ogni anno costumi.

’Na vota Napoleoni, ’na vota zuavo papalino, ’na vota bersaglieri...

Nell’urtimo Carnevali, quello dell’anno passato, il dottori però non compariva in nisciuna fotografia.

L’annò ad attrovari nel gabinetto medico.

«Perché non partecipò al veglione di Carnevale dell’anno scorso?».

«La sera avanti mi venne un febbrone da cavallo».

«Il costume l’aveva già pronto?».

«Naturalmente».

«Un costume da moschettiere?».

Il dottori si misi a ridiri.

«Lo sa che lei è veramente bravo, commissario?».

«Una sola domanda: perché se lo mise quella notte?».

«Volevo fare uno scherzo a un amico... poi ci ho preso gusto e me la sono spassata anche col giornalista. E ora come la mettiamo?».

«La mettiamo che lei quel costume non se lo mette più. E mi dà la sua parola d’onore».

Accussì i fantasmi scomparero da Vigàta. Ma nisciuno seppi che il merito era stato tutto del commissario Bennici.

# In odore di santità

# Uno

Matirda Bosco, figlia unica di un poviro viddrano, Filippu, che campava malamenti la vita azzappanno la terra dell'autri, e di Gnazia, che travagliava lavanno i pavimenti delle case borgise, già a deci anni 'n famiglia faciva cizzioni.

Sò patre Filippu, curtoliddro, mezzo sciancato di nascita, con l'attaccatura dei capilli all'artizza delle supracciglia, 'na spalla cchiù àvuta e l'autra cchiù vascia, in tutto e per tutto assimigliava meglio a 'na scimia che a un omo, mentri sò matre Gnazia, sicca e longa come a 'na pertica, un metro e novanta di pelli e ossa, oltri ad aviri un occhio a Cristo e l'autro a san Giuvanni, era addotata di un naso che pariva un timoni di papore e di 'na vucca indove si potiva 'nfornari 'na quintalata di pani.

Matirda no, Matirda già a deci anni era pricisa 'ntifica a un angileddro scinnuto 'n terra dal celo. A nisciuno vinivano 'n menti autri paroli per descriviri com'era.

Cchiù àvuta di un parmo rispetto alle autre piccilid-dre della sò stissa età, aviva capilli biunni che le arrivavano sino 'n funno alla schina, occhi cilestri come a dù petre priziuse, gamme dritte e longhe e quanno sorridiva, cosa che faciva spisso, persino i cani arraggiati con la vava alla vucca s'ammansivano.

Naturalmenti non era potuta ghiri alla scola limintari, ma lei, avenno avuto 'n rigalo dal parroco il libretto del catachisimo, tanto si era applicata che da sula era arrinisciuta a sapiri leggiri e scriviri.

E il parroco allura le aviva accomenzato a 'mpristari libri, squasi tutte vite di sante.

Accussì, a picca a picca, Matirda era stata pigliata dalla fissazioni di voliri addivintari macari lei 'na santa.

«Parrì, che devo fari per arrinesciri come a santa Teresa?».

«Nicarè, addivintari santi non è come farisi parrino o profissori. Tu 'ntanto piccamora fai sempri cose bone, priga spisso e teniti luntana dalle tintazioni».

La matina appena arrisbigliata Matirda prigava, prigava prima di mangiari, prigava prima di corcarisi, e non passava jorno che non annava 'n chiesa a prigari soprattutto davanti alla statua di santa Teresa.

Quanno che fici dodici anni, Gnazia se la portò a travagliare con lei.

In geniri puliziavano scali e pavimenti dalli sei del matino fino alle novi, po' Gnazia si nni tornava per dari adenzia alla casa e priparari il mangiari mentri 'nveci Matirda si nni curriva 'n chiesa.

A tridici anni addivintò fìmmina.

A sidici anni fatti, non c'era mascolo di Vigàta, picciotto o anziano, schetto o maritato, che vidennola caminare strata strata non resistiva a liccarisi le labbra.

E quarcuno macari ci provava a mittirisi allato a lei e a farle a mezza voci qualichi complimento, ma Matirda continuava a caminare con l'occhi vasci e non dava cunto a nisciuno.

A la sò casa accomenzaro a prisintarisi le ruffiane, le sinsali di matrimonio. Parlavano con Gnazia a voci vascia.

«Ci sarebbi che c'è Nino, 'u figlio di Nicola Pirciatore, avi vint'anni, è un bravo picciotto travagliatore...».

«L'accanosciti ad Angilo Terrana? Quello che possedi il nigozio davanti alla chiesa? È ristato vidovo, mischino, ad appena vintitrì anni e si vorrebbi rimaritari...».

Ma appena che Gnazia ne parlava alla figlia, la risposta era sempri la stissa:

«No, non mi marito io! Lu mè sposo è Gesù!».

Un jorno, che era l'una, patre Lino era annato per chiuiri il portoni della chiesa quanno s'addunò che Matirda stava ancora a prigari agginocchiata al solito posto, davanti a santa Teresa.

La chiamò ma la picciotta non gli arrispunnì.

Allura le s'avvicinò, le posò 'na mano supra alla spalla, la scotì leggirmenti.

Matirda non si cataminò per nenti. Il parrino ebbi la 'mpressioni che fusse sbinuta.

Tanticchia prioccupato, fici un mezzo giro e si calò a taliarla 'n facci.

Provò 'na scossa.

La picciotta tiniva l'occhi chiusi a mità, ma la pupilla doviva essirisi arrovisciata pirchì non si vidiva, le labbra mezze aperte addisignavano come a un accenno di sorriso biato, gucci di sudori come perle le 'ncoronavano la fronti, supra al petto la cammisetta si isava e s'abbassava per il rispiro ansimanti. La chiamò a voci vascia, ma non ebbi risposta.

Non c'era dubbio che Matirda era caduta 'n estasi.

Patre Lino si vitti perso, non sapiva che fari. Pinsò che 'ntanto la meglio era di chiuiri il portoni, per evitari che trasisse genti.

Ma quanno stava per farlo, sintì dei passi di cursa alle sò spalli. Si voltò.

Era Matirda, russa 'n facci, le pupille sbrilluccicanti, ancora col sciato grosso.

«Vossa binidica» fici passannogli allato.

Nell'aria ristò per un attimo il sciauro di giglio della sò pelli sudata. Il sciauro della purizza, il sciauro della santità.

Patre Lino era un quarantacinchino robusto e forti, serio e profunnamenti riligioso. Tutti a Vigàta gli volivano beni pirchì sapivano che lui non si sarebbi tirato narrè davanti a qualisisiasi situazioni.

Non aviva portato l'oglio santo a uno della banda del briganti Gasparotto nella grutta indove quelli si nni stavano rintanati e si nni era ristato 'n silenzio davanti ai carrabbineri che l'interrogavano volennone sapiri il loco per annarli ad arristari?

Quella notti stissa che Matirda era caduta 'n estasi, il parrino, che di solito dormiva come un macigno, non arriniscì a pigliare sonno.

S'arramazzava nel letto, ogni cinco minuti si votava ora da 'na parti ora dall'autra, sbuffava, smaniava e sempri nelle nasche aviva il sciauro della pelli della picciotta.

L'aviva sintuto per un attimo, ma era stato come 'na speci di marchiatura a foco.

E la cosa tirribili era che quel sciauro di giglio 'nveci di provocarigli pinseri di purizza e di castità, gli addrumava il foco granni di mali pinseri carnali che mai gli erano prima passati per la menti.

Anzi no, per la virità nni aviva avuti di 'sti pinseri, ma quann'era picciotto, ai tempi del siminario, ma lui, a forza di prighere e di digiuni, senza cediri mai, facenno appello alla sò volontà e alla sò fidi, era arrinisciuto a libbirarisinni.

E da quanno era stato ordinato mai, manco doppo aviri ascutato 'n confissioni dittagliatamenti cose che avrebbiro potuto farigli quadiare il sangue, mai si era abbannunato a pinseri di 'sto generi.

Verso le tri del matino, dispirato, fici 'na pinsata.

Scinnì dal letto, annò 'n cucina, pigliò uno spicchio d'aglio e se lo strufiniò sutta al naso. L'effetto gli durò sì e no 'na decina di minuti, po' a picca a picca l'aduri dell'aglio svaporò e lassò novamenti il posto al sciauro di giglio.

Appresso non seppi se s'addrummiscì per qualichi minuto o se fici un sogno ad occhi aperti.

Fu un sogno che arricordò completo e rivitti da vigliante quanno che gli tornò il senso, e di cui si vrigognò amaramenti, provanno disgusto e pena per la sò carni deboli.

Allura, chiangenno, si susì, s'agginocchiò e si misi a prigari il Signuruzzu che non gli facisse addannare l'arma.

Alli cinco e mezza del matino, ancora storduto per la nottata 'nfami, patre Lino annò a raprire il portoni della chiesa pirchì alli sei diciva la prima missa.

Di solito, appena che rapriva, vidiva arrivari la carrozza dell'ottantina baronissa di Santo Stefano e s'apprecipitava ad aiutarla, 'nzemmula col coccheri, ad acchianare l'otto graduna che portavano 'n chiesa.

Quella matina però s'attrovò davanti a Matirda che lo taliava con quei sò miravigliosi occhi cilestri senza diri nenti.

Gli parse però di notari in quell'occhi 'na lucintizza di lagrime.

«Che c'è?».

«Mi voglio confissari».

«Aspettami al confissionili che aiuto la baronissa e vegno».

Patre Lino era 'mparpagliato. Dato che la picciotta si confissava e si comunicava ogni duminica matina, e non sgarrava mai, che le potiva essiri capitato d'accussì gravi di sintiri il bisogno di corriri a confissarisi di jovidì?

Annò al confissionili, si misi la stola, tirò la tendina, raprì lo sportellino della finistrella cummigliata da 'na riti fittissima.

Fu come arriciviri un pugno 'n facci.

Il sciauro di giglio di Matirda era fortissimo, prepotenti, gli annigliava il ciriveddro, gli impidiva di raggiunari.

«Aspetta un momento».

Raprì il missali, ci posò supra la fronti, prigò Dio di darigli la forza di sopportari il tormento. Finalmenti si sintì tanticchia meglio.

«Dimmi».

«Piccato fici».

E questo non era un comincio che potiva apprioccupari il parrino, lei principiava sempri accussì la confissioni, per la picciotta era piccato la qualunque, mangiari con troppo piaciri 'na persica o macari pinsare che sò matre avrebbi dovuto farla travagliare di meno.

«Dimmillo 'sto piccato».

La picciotta non arrispunnì. Il parrino la sintì distintamenti che tirava col naso come a 'na picciliddra.

«Stai chiangenno?».

«Sissi».

«Pirchì».

«Piccato mortali fici».

«Lassa giudicari a mia se è mortali. Che fu?».

«Maria, quanto mi vrigogno!».

«Non abbasta vrigognarisi di un piccato, uno si nni devi puro pintiri. Tu nni sì pintuta?».

«Nun lo saccio».

Che era 'sta risposta?

«Avanti, parla, picca tempo aio».

«Stanotti... non arriniscivo a pigliari sonno... m'arramazzavo... sintivo ora càvudo ora friddo...».

S'interrompì.

«Vai avanti».

«Allura... doppo tanticchia che il ralogio del municipio aviva battuto le tri... a tradimento... sollivò il linzolo e... si 'nfilò tutto nudo dintra al mè letto...».

Un pinsero spavintoso passò 'mmidiato per la testa di patre Lino e lo fici inorridiri. Quante ne aviva dovute sintiri storie uguali! Patri con figlie, frati con soro...

Sapiva che Matirda dormiva dintra a un littino ai pedi del letto matrimoniali indove stavano Filippu e Gnazia.

Nella stissa, unica càmmara che costituiva tutta la loro casa.

Quindi a 'nfilarisi a tradimento nel letto della picciotta non potiva essiri stato che...

«Tò patre?» spiò sdignato.

«Mè patre?!» s'ammaravigliò la picciotta. «Nonsi, mè patre, mischino, dormiva».

«E tò matre?».

«Macari lei».

«Ma come fici a trasire?».

«E chi nni saccio... C'era scuro fitto...».

Non arriniscì a continuari. Ora singhiozzava. Patre Lino avrebbi voluto nesciri dal confissionili e annare a consolarla.

«Coraggio, Matirda».

«M'abbrazzò, mi vasò. Mi isò la fodetta e...».

«Pirchì non facisti voci? Pirchì non arrisbigliasti a tò patre o a tò matre? Non potivi? Ti tiniva 'na mano supra alla vucca?».

«Nonsi».

«E allura pirchì?».

Non ebbi risposta.
«Dai, parla!».
Sintì tuppiare al confissionili dalla parti opposta. Raprì lo sportellino. Era Titino, il sacristano.
«Parrì, vidissi che l'ura della missa è».
«Ora non posso seguitare. Doppo che hai finuto di travagliare, torna ccà» dissi concitato a Matirda.
E corrì 'n sagristia a mittirisi i paramenti.

# Due

Ma s'era scordato che alle novi aviva un funerali e all'unnici un matrimonio. Tutta la matinata sarebbi stato 'mpignato. Non avrebbi avuto un minuto di tempo per lei.

Mentri che recitava svogliatamenti le prighere per i morti gli parse di notari a Matirda 'n funno alla chiesa, non ne fu certo, ma po' non la vitti cchiù.

Nel doppopranzo raprì il portoni al solito orario, alle tri, spiranno d'attrovarisi davanti alla picciotta.

Non c'era.

E non s'apprisintò manco al vespiro.

«Vuoi vidiri» si dissi «che non ha cchiù il coraggio di continuari la confissioni?».

Per scrupolo di coscienza, 'nveci di chiuiri il portoni alle setti e mezza, lo lassò rapruto.

All'otto si nni acchianò a mangiari.

Al sò appartamento s'arrivava macari con una scala di ligno che si partiva dalla sagristia.

Finuto ch'ebbi, scinnì novamenti 'n chiesa, s'agginocchiò davanti all'artàro maggiori supra al quali c'era un granni crocifisso di ligno e volli sprofunnari nella prighera.

Il pinsero di Matirda non l'aviva abbannunato manco per un momento per tutta la jornata.

Ma il danno era che non la vidiva cchiù come un angilo scinnuto dal celo, squasi privato del corpo, ma come 'na fìmmina fatta di carni e sangue che aviva accanosciuto l'omo.

E questo gli dava un turbamento tali che c'erano momenti che persino lo pigliava 'na liggera virtigine.

Po' 'mproviso il sciauro di lei addivintò accussì denso e prisenti che gli livò il rispiro.

Matirda stava agginocchiata allato a lui e prigava. Non l'aviva sintuta arrivari.

Allura dalla vucca di patre Lino niscero paroli che mai avrebbi 'mmaginato un jorno di potiri diri.

Paroli di marito o d'amanti, con una voci che, va a sapiri la scascione, gli era addivintata rauca.

«Pirchì arrivi accussì tardo? Chi avivi di 'mportanti da fari? Ti ho aspittata tutto il jorno!».

E po', squasi con raggia:

«Ti sei novamenti 'ncontrata con...».

«Io voliva viniri ma fu mè matre che non vosi che niscivo, aviva bisogno d'essiri aiutata 'n casa».

Si carmò.

«Vuoi confissariti?».

«Ora no. Domani a matino».

«E allura pirchì vinisti?».

«Pirchì si veni 'n chiesa? Per prigari. Ora mi nni vaio, masannò a mè matre cu la senti!».

Gli circò la mano, l'affirrò, gli posò supra le labbra.

Un serpenti di foco scorrì lungo la schina del parrino.

«Vossa binidica».
Si susì e si nni niscì dalla chiesa.

Patre Lino tentò di fari resistenza, ma non ci arrinisci.

La sò testa, come spingiuta a forza, si calò supra alla sò mano, le sò labbra si posaro nel punto priciso indove le aviva posate Matirda e lì si firmaro a longo.

Patre Lino quella sira addicidì di non annare a corcarisi, si scantava che gli tornava il sogno della notti avanti.

A mezzannotti, doppo aviri ditto tutte le prighere, si 'ntabarrò, niscì e dato che c'era tanticchia di lustro di luna, si annò a fari 'na passiata fino alla punta del molo.

Il sciauro di giglio si cunfunniva col sciauro dell'aria di mari.

S'assittò supra a 'no scoglio e accomenzò a pinsari alla disgrazia che gli stava capitanno.

Ogni tanto la testa gli cadiva supra al petto, ma si trattava di sonni accussì brevi che non lassavano spazio ai sogni.

All'alba, principiò a vidiri nesciri verso il largo le vele bianche delle paranze. Era arrinisciuto a fari passare la nuttata.

Tornò a lento, un pedi leva e l'autro metti, 'ncontranno piscatori prisciolosi e ritardatari.

«Vossa binidica, parrì».

«Biniditto, figlio».

Arrivò alla casa che mancava picca alle cinco. Si spogliò, si lavò e alle cinco e mezza raprì il portoni.

Matirda non c'era.

Aiutò la baronissa ad acchianare i graduna e propio sull'urtimo vinni superato dalla picciotta che arrivava di cursa.

«Parrì, ci vorria parlari» fici 'na parrocciana.

«Doppo, doppo».

Corrì al confissionili, si misi la stola, chiuì la tendina, raprì lo sportellino tiranno contemporaneamenti la testa narrè, in modo che il sciauro non gli sbattissi 'n facci stordennolo.

«Devo arraccomenzare a contarici tutto daccapo?» spiò Matirda.

«Non c'è bisogno. Continua da indove ti firmasti».

«Però mi dicisse vossia da indove devo arripigliari».

Patre Lino esitò un attimo.

«Da quanno ti sollivò la fodetta».

«Principiò a vasarimi e a liccarimi 'u pettu e non la finiva cchiù, tinennomi nello stisso tempo 'na mano 'n mezzo alle gamme e carizzannomi a leggio a leggio...».

Patre Lino sbottò:

«Ma pirchì, sbinturata, non facisti voci, eh? Pirchì? E pirchì non t'addifinnisti?».

«Pirchì... Maria, quanto m'affrunto, quanto mi vrigogno! Pirchì... mi stava piacenno».

Ah, la dibolizza della carni! Che miserabili, poviri cose che semo! pinsò il parrino.

«E po'?».

«E po' continuò a vasarimi 'u viddrico e po'... scinnì con la vucca cchiù sutta... e si nni stetti ddrà ancora a longo, a longo, a longo...».

«E doppo? Non ti fici autro?».

«Nonsi».

«Continua».

«A un certo punto mi parse di sviniri. Non accapii cchiù nenti... E quanno raprii l'occhi, non saccio quanto tempo doppo, lui dintra al letto non c'era cchiù».

Patre Lino non arriniscì a parlari subito. Trimava tutto, atterrito. Quello che stava sintenno era 'ncredibili. Con uno sforzo che lo lassò strimato arriniscì finalmenti a diri:

«Tutto ccà?».

«Sissi».

«Stammi a sintiri. Sei sicura che 'sto fatto è successo veramenti? O te lo sei insognato? Pensaci bono».

La picciotta non arrispunnì subito. Po' dissi:

«A mia m'è parso tutto vero, m'avi a cridiri. Però...».

«Però?».

«Però quanno mi susii, e fui la prima a susirimi, la porta era chiusa da dintra e lo stisso era la finestra. Perciò m'addimanno: comu fici 'st'omo a trasire?».

«L'hai viduto 'n facci?».

«Nonsi. Ci lo dissi, nella càmmara c'era scuro fitto».

Patre Lino tirò un longo respiro prima di parlari.

«Matì, nel tò letto non è trasuto nisciun omo, è trasuto il diavolo tintatori. Tu hai solamenti fatto un sogno tinto. E uno non è responsabili dei sogni che fa. I sogni arrivano macari contro la volontà di chi dormi. Tu non hai fatto nisciun piccato. Né mortali né viniali. Dici cinco avemmarie e cinco patrinnostri. Ego te absolvo...».

Ma come avrebbi fatto ad assolviri a se stisso?

Pirchì era lui il diavolo tintatori che aviva abusato della picciotta.

Lui aviva fatto lo stisso priciso 'ntifico sogno che aviva fatto Matirda.

Esattamenti con gli stessi gesti, né uno cchiù né uno meno, e nella stissa midesima ura.

Ma c'era stata 'na differenzia.

Matirda gli aviva cuntato che c'era scuro fitto e non aviva potuto vidiri nenti.

Ma lui no, nel sogno ci vidiva macari nella notti cchiù nìvura. E a un certo momento, isanno la testa di 'n mezzo alle sò gamme, l'aviva taliata 'n facci.

La picciotta aviva la stissa spressioni di quanno era caduta 'n estasi davanti a santa Teresa.

Quello che stava facenno non era diri missa ma compiri un autentico atto sacrilego. Era 'na biastemia, tiniri tra le mano l'ostia consacrata avenno 'n menti sulo il piaciri che 'n sogno aviva dato a Matirda, la facci di lei mentri che godiva 'n estasi...

Tornato in sagristia, si livò con furia i paramenti, acchianò 'n casa, si pigliò il mantello, scinnì e avvirtì a Titino:

«Io vaio a Montelusa».

«E quanno torna?».

«Con la currera delle sei».

La currera, tirata da dù cavaddri, faciva 'na cursa d'annata alle setti e mezza di matina e una di scinnuta alle cinco. Ci mittiva un'orata a fari la strata. E patre Lino passò quell'orata a pinsari a quello che aviva 'n menti di diri a Sò Cillenza Mongitore, il pispico, se aviva la fortuna d'essiri arricivuto.

Il sigritario del pispico era stato sò compagno di seminario e ogni tanto si scrivivano.

«Ti va beni se Sò Cillenza t'arricivi a mezzojorno?».

«Mi va beni».

Annò a 'nfilarisi nella catidrali a prigari il Signuruzzu che gli mittissi supra alla vucca le paroli giuste.

«Allora, don Lino?».

«Eccellenza, sono venuto a sottoporvi un caso particolare».

Parlò filato e spidito di Matirda, della sò grannissima e profunnissima divozioni, gli contò macari la facenna dell'estasi, gli accomunicò la sò prioccupazioni che 'n'anima predestinata a Dio potissi perdersi a causa della povirtà e dell'ignoranza dei genitori e a scascione dell'ambienti nel quali era obbligata a travagliare, delle tintazioni alle quali a ogni momento era esposta data la sò straordinaria biddrizza...

«In che modo pensate che io possa essere utile a questa creatura?» gli spiò alla fini il pispico.

«Se si potesse farla accogliere in un convento...».

«Don Lino, vorrei ricordarvi che la devozione è una cosa, la vocazione tutt'altra».

Po' il pispico ristò un momento pinsoso.

«I genitori sono d'accordo?».

«Non ci ho parlato».

«Se la fanciulla è minorenne, è indispensabile che i genitori diano il consenso».

«Parlerò loro in giornata».

«E l'interessata che dice?».

Patre Lino si confonnì.

Gli era passato di menti che avrebbi dovuto prima spiarlo alla picciotta. Addicidì 'mmidiato di diri a Sò Cillenza 'na farfantaria, tanto 'na farfantaria a fin di beni non era piccato.

«Gliel'ho accennato. Ne sarebbe felice».

«Un'ultima cosa. Sapete che la dote minima è centocinquanta lire?».

«Sì, lo so».

Lo sapiva e sapiva macari come arrisolviri il problema. I sò risparmi erano di ducento liri. Le avrebbi fatto fari macari il corredo.

«Allora restiamo intesi così. Voi parlate con i genitori, io parlo con la badessa del convento di Santa Margherita. Tornate la prossima settimana».

Niscì dal viscovato che era squasi l'una. Aviva tanticchia di pititto ma non volli accattarisi un panino. Apposta, per dari 'na punizioni al sò corpo che tanta soffirenzia gli stava facenno patiri.

E per la midesima scascioni addicidì di tornarisinni a pedi a Vigàta.

Cchiù si stancava e meglio era.

## Tre

S'arriposò 'na mezzorata stinnicchiato supra al letto e po', alle quattro, s'avviò alla casa dei Bosco che s'attrovava al limite del pàisi, indove accomenzava la campagna.

Allontanari Matirda da Vigàta, non vidirla cchiù tutti i jorni, scordarisilla, livarisilla dalla menti. Questa era l'unica soluzioni possibili.

Masannò, ed era la cosa che lo scantava, sarebbi abbastato un nenti, 'na taliata, 'na mezza parola, pirchì pricipitassiro tutti e dù, abbrazzati, nelle fiammi dello 'nferno.

'N casa ci attrovò sulamenti a Gnazia, Filippu era annato ad azzappari e sarebbi tornato alla scurata.

«E Matirda?».

«Ci chiamaro pirchì c'era da puliziari la casa nova che si ficiro i signori Di Giacomo, ma io non ci potti ghiri pirchì mi fa mali la schina e ci mannai a mè figlia».

Forsi era meglio accussì. A Matirda avrebbi potuto diri la sò 'ntinzioni doppo, da sulo a sula.

«Di lei sugno vinuto a parlarivi».

«Di Matirda?» spiò sorprisa Gnazia.

«Sì. Ascutatemi con attinzioni».

Le dissi dell'idea che gli era vinuta di mannare Matirda 'n convento, le contò macari ch'era ghiuto a parlari col pispico e le arriferì quello che aviva ditto Sò Cillenza.

Quanno finì, Gnazia stetti a pinsarici. Po' dissi:

«'N sustanzia, vossia volissi che mè figlia si facissi monaca. Io e mè marito non semo contrari. Però vossia non ha considerato 'na cosa 'mportanti».

«Qual è?».

«Vero è che Matirda è divota e prega sira e matina e che appena pò corri 'n chiesa, ma è puro vero che travaglia e porta dinaro 'n casa. Se trase in un convento, nui ci vinemo a perdiri».

Questo era un aspetto della questioni al quali non aviva minimamenti pinsato.

«Quanto vi porta al misi?».

«Quanno guadagna picca, 'na quinnicina di liri».

Si fici un ràpito craccolo. Ci potiva arrivari. Ma non voliva fari sapiri a Gnazia che avrebbi providuto pirsonalmenti, sparagnanno sul mangiari.

«A questo ci pò pinsari la chiesa» dissi.

Gnazia arridì.

Patre Lino si scantò d'essiri agliuttuto da quella vucca enormi.

«Che aviti da ridiri?».

«Non ci semo ancora» fici la fìmmina.

«Pirchì?».

«Vossia non considera la biddrizza di mè figlia. Che le farà fari di sicuro un ricco matrimonio. Accussì, doppo maritata lei se la passirà bona, non le mancherà nenti, ma macari nuatri che semo 'u patre e la matre ce la passeremo bona».

«Siti accussì sicura che si voli maritari?».

«Non v'apprioccupati se iddra voli o non voli. Ci penso io a farla maritari o di sicco o di sacco».

E arridì sguaiata.

Patre Lino accapì che quella sarebbi stata capace, macari con un trainello, con un inganno, approfittannosi del candori e della 'nginuità della picciotta, di ghittarla tra le vrazza di un vecchio sdibosciato qualisisiasi, abbastava ch'era ricco.

Il parrino si turbò al pinsero dell'avviniri disgraziato che Matirda potiva aviri.

«Sintiti, parlati di 'sta facenna con vostro marito. Facitivi i cunti di quanto vi pò renniri vostra figlia da maritata e dicitimillo. Torno ccà tra qualichi jorno».

Non aviva la minima idea di come e indove attrovari il dinaro che Gnazia e Filippu gli avrebbiro addimannato. Ma la divina providenza di certo sarebbi 'ntirvinuta.

Doppo il vespiro era appena trasuto 'n sagristia che gli comparse davanti Matirda.

La picciotta trimava di raggia, l'occhi sparluccicanti mannavano lampi, era spittinata e sudata e un denso sciauro di giglio in un attimo inchì la càmmara.

«Che è 'sta storia del convento?» spiò con voci acuta, squasi isterica.

«Chi te lo dissi?».

«Mè matre».

«Prima di tutto, carmati».

«Non mi carmo, no, voglio sapiri...».

«Senti, Matirda, per il tò stisso beni...».

Come 'na furia, lei si slanciò verso di lui fino a toccarlo col sò corpo, l'affirrò per il davanti della tonaca, lo scotì, isannosi supra alla punta dei pedi.

«Non ci vaio 'n convento! Non ci voglio ghiri!».

Il parrino sintì il sciato ardenti della picciotta, all'artizza della sò vucca, confonnirisi con il sò stisso respiro. Fici per ribattiri, ma vinni 'ntirrotto da 'na voci.

«Patre Lino!» chiamò vicinissimo Titino.

Matirda con un sàvuto fu supra alla scala di ligno, scomparse. Titino trasì.

«C'è un signori che ci voli parlari».

Dovitti stari 'na mezzorata a sintiri 'na storia che arriguardava il vecchio patre del signori che stava morenno ma non voliva i sacramenti. Come fari a persuadirlo?

«Domani mattina passo e vedrò di convincerlo».

«Non può venire ora?».

Dissi che non potiva. Tornò Titino.

«Lo chiuio io 'u portoni con la mè chiavi?».

«Chiuilo ma senza chiavi. Po' ci penso io».

«Vossa binidica».

Aspittò qualichi minuto, e quanno fu sicuro che Titino non c'era cchiù, s'avvicinò ai pedi della scala e chiamò.

«Matirda! Scinni!».

Non ebbi risposta.

Allura accomenzò ad acchianare la scala come un cunnannato a morti acchiana i graduna del patibolo.

La trovò ammucciata darrè a 'na porta seguenno la scia del sò sciauro.

Atterrì.

La picciotta aviva l'occhi sbarracati, pariva 'mpazzuta, e si tiniva un cuteddro, pigliato dalla cucina, puntato alla gola. Le sò labbra erano storciute in una speci di ghigno.

«Se vossia mi manna 'n convento, m'ammazzo ora stisso!» dissi a denti stritti.

La reazioni di patre Lino fu veloci come un lampo.

Con la destra le detti un violento pagnittuni nello stisso tempo che le agguantava il polso con la mancina e, torcennoglielo, l'obbligava a lassari cadiri 'n terra il cuteddro.

Si calò a pigliarlo e lo scagliò lontano, mentri la picciotta sciddricava lentamenti con la schina lungo la pareti e alla fine ristava accussì, a gamme larghe, la testa calata supra al petto, e pariva 'na pupa di pezza ghittata in un angolo.

Il parrino, col sciato grosso, affirrò 'na seggia, s'assittò e ristò muto a taliare a Matirda.

Possibili che aviva sbagliato tutto? Pirchì l'idea d'annare 'n convento le scatinava tanto scanto?

Matirda, doppo tanticchia, isò la testa e ricambiò la taliata.

Patre Lino liggì in quell'occhi 'na dispirata dimanna d'aiuto.

Po', a fatica, Matirda ripiegò le gamme e si misi a ginocchiuni, unenno le mano a prighera.

«Pi carità! 'N convento no!».

Lo taliava in un modo tali che in un attimo tutti i contrastanti sintimenti che il parrino provava per lei addivintaro uno sulo, un senso di sconfinata pietà.

«Susiti! Non sugno un santo che si prega, io».

Lei bidì. Si susì, gli si misi dritta davanti.

Quant'era beddra! Era di 'na biddrizza che l'occhi avivano difficortà a sostinirla. Patre Lino, che per un attimo s'era perso a taliarla, si scotì e dissi:

«Spiegami pirchì non vuoi annare 'n convento. Non hai sempri ditto che volivi fari vita santa?».

«Per fari vita santa non c'è bisogno di farisi monaca» ribattì pronta la picciotta.

Suppergiù la stissa cosa che gli aviva arricordato il pispico, la divozioni non significa vocazioni.

Ristaro a longo a taliarisi.

Patre Lino accapì che la scascione vera del refuto di Matirda ancora doviva viniri fora.

«E po'...» ripigliò 'nfatti la picciotta firmannosi però subito.

«Che c'è?» l'incitò patre Lino.

Matirda fici un passo di lato e tornò ad agginocchiarisi vicinissima, il sò petto sfiorava la gamma del parrino.

«Ti dissi di stari addritta».

«Nonsi».

«Ubbidisci».

«Nonsi, pirchì quello che ci dico vossia lo devi considerari come ditto 'n confissioni».

«Vabbeni».

La picciotta ristò muta.

«E allura?».

«Non nni sugno cchiù tanto sicura».

«Di che?».

«Di voliri addivintari santa».

«Ma come?!» strammò il parrino.

«Accussì è».

«Ma pirchì? Com'è possibili che t'è vinuto 'sto dubbio? E da quanno t'è vinuto?».

«Dalla notti di quello che vossia chiama sogno».

Patre Lino si sintì agghiazzare.

No, lei non poteva addossargli quella responsabilità. Non ne erano responsabili nessuno di loro due.

«Fu un sogno!» dissi con forza.

«Ma per mia fu 'na cosa vera».

Stava immobili, però lagrime silenziuse accomenzaro a scorrerle supra alla facci.

«Nun saccio cchiù che fari. Dispirata sugno. M'aiutasse vossia, pi carità!».

Di scatto, gli prese una mano tra le sue.

Patre Lino tintò di ritirarla, dù, tri vote, ma la picciotta gliela stringì con cchiù forza.

Gliela vasò supra al dorso, vagnannogliela di lagrime.

Po' gliela rivoltò e appuiò la guancia nel palmo, ristanno accussì.

Il parrino la sintì fari un suono di gola che gli parse priciso un tubare di palumma.

E gli ammancò la forza d'opponirisi a Matirda che gli pigliava l'autra mano e se la portava all'autra guancia.

Chiuì l'occhi per non vidiri.

Sintiva il granni calore di lei nelle sò mano, era come se le fossi vinuta 'na fevri àvuta.

Po' Matirda, sempri tinenno le mano supra a quelle del parrino, le forzò a scinniri fino alla gola.

Ora quel tubari di palumma si era fatto cchiù forti, lo potiva sintiri pulsari attraverso la pelli di villuto.

Doppo tanticchia, le mano della picciotta costringero quelle di lui a lento a lento a scinniri ancora, a 'nfilarisi tra la cammisetta e la pelli, fino all'attaccatura dei seni.

Allura le mano del parrino accomenzaro a cataminarisi 'ndipinnennementi da lui, sciogliero i nastrini della cammisetta, si ficiro largo sutta alla fascia che cummigliava il petto della picciotta, principiaro a carizzari...

Sempri con l'occhi 'nsirrati, patre Lino le circò le labbra, le trovò vicinissime...

Ma doppo un attimo non la sintì cchiù, lei si era tirata violentementi narrè.

Raprì l'occhi.

Matirda stava addritta a un passo, l'occhi novamenti sbarracati, il vrazzo tiso, l'indici puntato contro di lui.

«Eri tu! Quella notti... nno mè letto! Eri tu!».

Votò le spalli e si nni scappò.

Patre Lino s'affirrò la testa tra le mano e si misi a chiangiri.

## Quattro

Ci misi un'orata prima che arriniscissi ad aviri le gamme accussì ferme tanto da potirisi susiri dalla seggia.

Ma quanno fu addritta s'addunò che variava come se fusse 'mbriaco. Annò a raprire tutte le finestri per provocari 'na correnti d'aria capace di fari scompariri il sciauro di giglio che gli pariva che aviva 'mprignato ogni cosa.

Ma aviva la testa confusa, un rumori continuo come di sciami d'api nell'oricchi, e sintiva un gran friddo. Si toccò la fronti, abbrusciava, gli doviva essiri vinuta la fevri.

'N cucina, si priparò 'na cicaronata di camomilla, si la vippi tutta. Passata 'na mezzorata, finalmenti si sintì tanticchia cchiù carmo, 'n grado di raggiunari.

Troppo presto per annare a corcarisi.

Allura fici 'na pinsata.

Si detti 'na lavata e niscì fora di casa dalla porticeddra posteriori che era propiamenti quella dell'appartamento e che dava in un vicolo nel darrè della chiesa.

Il signori che era vinuto a trovarlo 'n sagristia s'acchiamava Genuardi e gli aviva dato l'indirizzo. Non era distanti.

S'attrovò davanti a 'na villetta a un piano e s'addunò che allato al portoni c'erano ferme quattro carrozze, che da tutte le finestri viniva luci e che dintra c'era movimento.

Non era possibili però che davano un ricevimento con un moribunno 'n casa.

S'avvicinò a un coccheri.

«Che succedi?».

«Morse 'u vecchiu Genuardi».

«Quanno?».

«Mah... Meno di dù orate fa».

Mentri che lui era occupato ad accarizzari a Matirda.

Che fitinzia di parrino era addivintato?

Era 'ndegno di portari ancora la tonaca.

Si era comportato pejo di un medico che s'arrefuta di curari un malato gravissimo.

Forsi avrebbi potuto sarvari 'n'arma e 'nveci aviva prifiruto che si pirdissi per l'eternità per non arrenunziari a stari con quella picciotta.

E di certo questa era la colpa piggiori di tutte, la meno perdonabili, aviri ammancato al sò doviri di parrino.

Doviva assolutamenti attrovari il modo di nesciri da quella situazioni, a qualisisiasi costo.

E il prima possibili, pirchì se pirdiva tempo ogni jorno sarebbi caduto sempri cchiù 'n vascio, supra a questo non aviva dubbi.

Tornò a la casa. A malgrado che le finestri erano ristate aperte, il sciauro di giglio c'era ancora. Era come se si fusse sparmato supra alle pareti.

Allura pigliò carta, pinna e calamaro e si nni scinnì 'n sagristia.

Scrissi 'na littra al pispico nella quali gli spiegava come e qualmenti la matre e il patre di Matirda arrefutavano il consenso per farla trasire 'n convento. La firmò, la 'nfilò dintra a 'na busta, ci scrissi supra l'indirizzo. L'indomani l'avrebbi data a Titino per farla partiri.

Appresso pigliò 'na decisioni 'mprovisa.

Niscì novamenti e annò a tuppiare alla porta di patre Cosentino, 'ntiso 'n tutta Vigàta come Attilio, senza manco il don.

Era un parrino ottantino, sicco, nirbùso, che spisso e volanteri adopirava parolazze pejo d'un carritteri, ma che per tutta la vita era stato un vero patre per l'infilici, i misirabili, i morti di fami, i cchiù sfortunati del paìsi.

La sò porta era sempri aperta, notti e jorno, e alla sò tavola c'era sempri posto, macari per una sula minestra di virdura, ma c'era.

Sò Cillenza il pispico lo tiniva 'n granni considerazioni.

«Che hai?».

«Mi voglio confissari».

Attilio si fici 'na risata di cori.

«Con mia? L'abitudini ci persi. Se mi vuoi parlari, assettati e parla».

Patre Lino s'assittò e parlò. Per un'orata di fila, senza 'nterruzioni.

Alla fini Attilio gli sorridì.

«In ottant'anni di vita lo sai quante ne ho sintute storie di parrini pejo della tò? A dicine».

«E come sunno ghiute a finiri?».

«'Na poco beni e 'na poco mali. Come tutte le cose dell'esistenzia. Lino, io ti pozzo dari sulo un consiglio. Non scappari davanti a tia stisso. Il Signuri ti sta mittenno alla prova. E ti devo avvirtiri che, secunno mia, hai già perso un punto».

«Ma io, ci lo giuro, a quella picciotta non aviva la 'ntinzioni di toccarla, di vasarla, ma...».

«Non mi staio arrifirenno a 'ste minchiate. Recita cento avemmarie, ducento patrinnostri, pentiti veramenti e la facenna è chiusa».

Patre Lino strammò.

«E allura indov'è che sbagliai?».

«Per trovari la tò paci hai pinsato di potiri disporri del distino di quella picciotta. È questo il vero piccato che hai commesso. Aggravato dal fatto che saresti stato disposto a pagarle la doti e a rimborsari la famiglia di sacchetta tò. Sarebbi stato meglio assà se avissi avuto 'n menti di spenniri quel dinaro per ottiniri il sò corpo e no la sò arma».

Patre Lino si sintì annichiluto. Quant'era vero quello che gli aviva ditto Attilio!

«Dunami aiuto» dissi.

Attilio sorridì novamenti.

«Ti faciliterei la cosa. No, la strata la devi attrovare da sulo. A prezzo della tò pena e macari della tò vrigogna. E se ne hai di bisogno addimanna aiuto a Dio, e no a mia. E ora ti saluto. Aspetto 'na pirsona».

Tornò a la casa. Il sciauro di giglio c'era ancora, leggio, ma c'era.

Scinnì 'n sagristia, prigò per un'orata, po' si stinnicchiò supra al ligno di un casciabanco.

Di certo la parlata con patre Cosentino gli aviva aggiovato, 'nfatti arriniscì ad addrummiscirisi verso l'una.

Alle cinco e mezza, con l'ossa doloranti, annò a rapriri il portoni e ad aiutari alla baronissa ad acchianari la scala.

Era 'na jornata tirribili, laida, c'era un vento che a momenti sradicava l'àrboli.

Po' vitti che c'erano dù fìmmine 'n fila al confissionili che aspittavano. Doviva fari di prescia, masannò avrebbi tardato a diri missa.

Ci misi un quarto d'ura a confissarle a tutte e dù e aviva aperto la tendina e stava per chiuiri lo sportellino quanno sintì la voci di Matirda diri:

«Ci sugno ancora io».

La sorprisa l'apparalizzò per qualichi momento.

Non era stato né liali né onesto da parti della picciotta pigliarlo accussì alla sprovista.

«Ti vuoi confissari?».

«No».

«Allura che vuoi?».

«Sugno vinuta a diriti 'na cosa».

Quel tu gli detti da 'na parti un granni fastiddio, dall'autra gli fici piaciri. Matirda si stava piglianno 'na cunfidenzia che non le era pirmissa. Ma lui non se la sintì di rimittirla a posto, di richiamarla al rispetto che gli spittava.

«Dilla».

«Tu accomenzasti l'opira e tu la devi finiri».
«Che veni a diri?».
«Avvicina l'oricchio».
Patre Lino bidì.
All'istanti l'alito càvudo della picciotta gli quadiò l'oricchio e dall'oricchio quel càvudo, addivintanno sempri cchiù càvudo, si trasmittì al sangue, al cori del parrino.
«Tu devi essiri il primo omo della mè vita».
«Ma che dici?» protistò patre Lino.
«Statti muto e ascutami. Ogni notti m'aspetto che tu trasi nno mè letto... Ma tu non veni e io allura m'accarizzo con le mè mano come se fussero le tò mano... Se tu vuoi, ora stisso mi nni acchiano nella tò casa e resto a tò completa disposizioni... puoi farimi quello che vuoi... tutto quello che ti passa pi la testa... io voglio essiri carni tò...».
Patre Lino non la sintiva cchiù.
Virtiginosamenti cadiva e cadiva, risucchiato dal gorgo di un godimento carnali che mai aviva pinsato potissi esistiri, un godimento nel quali annigari tutto se stisso e raggiungiri la beatitudini della morti.
«Vuoi che acchiano?».
«Sì» stava per diri.
Ma non fici a tempo.
Con un rumori di vitri rotti una delle dù granni finestri a vitrate della chiesa, la cchiù vicina al confissionili, si spalancò per una botta di vento, dù cannileri dell'artàro maggiori cadero, lo sportellino del confissionili si chiuì sbattenno con la rumorata d'uno sparo.

Successi un virivirì.

Fìmmine sbinute, fìmmine che facivano voci, fìmmine che prigavano aggrappate all'artàro maggiori...

Patre Lino, che era satato 'mmediatamenti fora dal confissionili, circava di portari ordini, ma non ci arrinisciva.

Allura si nni acchianò supra al purpito e con tutto il sciato che aviva ordinò che ognuno tornassi al sò posto. Finalmenti vinni tanticchia di carma.

«Ci sunno feriti?» spiò dal purpito a Titino.

«Nonsi».

Scinnì.

«Io mi vaio a priparari per la missa» dissi al sagristano. «Tu piglia dù scupi e fatti aiutari da qualichi fìmmina a livari i vitri rotti».

Non fici a tempo a mittirisi il paramento che vitti arrivari di cursa a Titino, scantato.

«Matre santa, parrì! Currissi!».

«Che fu?».

«Matirda...».

Matirda stava stinnicchiata 'n terra in un laco di sangue allato al confissionili. Era completamenti cummigliata dai vitri caduti. 'Na lastra l'aviva colpita 'n testa. Patre Lino le pigliò il polso. I battiti c'erano.

«Sia ringraziato 'u Signuri, viva è» dissi.

«È un miraculu!» sclamò 'na fìmmina. «Con tutti 'sti scheggi di vitro, avrebbi potuto essiri tagliata in cento pezzi!».

«È 'na santa picciotta! Santa e divota» dissi 'n'autra. «E il Signuri l'ha voluta proteggiri!».

Allura si fici avanti la baronissa di Santo Stefano e pigliò 'n mano la situazioni. Ordinò a Titino di portarle un cato d'acqua e tutti l'asciucamano che c'erano in sagristia. Pariva tornata picciotta. Tempo deci minuti lavò e fasciò la testa di Matirda e po', fatto viniri il sò coccheri, gli fici pigliari la picciotta, mittirla 'n carrozza e lei stissa ci volli acchianare per accompagnarla allo spitali di Montelusa.

Quanno finalmenti potti diri missa, patre Lino, con tutto il cori, l'addedicò alla guarigioni della picciotta.

Verso la fini di quella matinata il coccheri della baronissa gli vinni a rifiriri che a Matirda avivano dato sidici punti, che la firuta era cchiù superficiali che profunna e che se la tinivano nello spitali per qualichi jorno.

Da quella matina la vita di patre Lino cangiò. Sapiva di aviri un grosso debito con la Providenza che l'aviva sarvato, con quella gran botta di vento, dalla dannazioni eterna. Pirchì lui quel sì alla picciotta glielo stava per diri. Epperciò era come se glielo avissi ditto. Il debito annava pagato.

Quel doppopranzo stisso portò le ducento liri di risparmio ad Attilio, gli dissi di farinni opire di beni. Fici un proposito che mantenni: di sparagnari ogni misi quinnici liri, quelle che avrebbi dovuto dari per risarciri la famiglia di Matirda, e di consignarle ad Attilio.

Per dù misi non ebbi notizie della picciotta, e non ne volli spiare.

Un jorno Titino gli vinni a diri che Matirda si era fatta zita con un medico dello spitali e che si sarebbiro maritati appena possibili e doppo si sarebbiro trasfiruti a Palermo.

'Na sira Attilio lo mannò a chiamare. Patre Lino l'attrovò corcato.

«Staio morenno, Lino. Voi pigliari 'u me posto? Se ti fa piaciri, fazzo parlari al pispico».

Patre Cosentino morse il misi appresso e patre Lino lassò la sò chiesa e si trasferì nella povira cammareddra d'Attilio.

Patre Lino, che tutti oramà chiamavano sulo Lino, campò trent'anni facenno sempri opire di carità, assistenno malati e bisugnosi e portanno a chi ne aviva di bisogno 'na parola di conforto, notti e jorno, 'nfaticabili, senza mai risparmiarisi. Morse in odori di santità. Tutti i prisenti 'nfatti contaro che appena che chiuì l'occhi per tutta la càmmara si sparsi un miraviglioso, pinitranti, sciauro di giglio.

Matirda era morta vint'anni avanti, sparata da uno dei sò tanti amanti.

# Il boccone del povero

# Uno

Nel milli e novicento e diciannovi, per la ginirosità dell'associazioni «Patria & Famiglia», che raccogliva le pie signure della bona società, nascì macari a Vigàta, come già ci nni erano in autri paìsi, un «bocconi del poviro» allocato in un ecchisi magazzino di lignami che, per rinnirlo cchiù accoglienti, vinni addicorato da bannere tricolori, da 'na granni riproduzioni del bullittino della vittoria firmato Diaz, da ritratti della famiglia riali e del Papa, da crocifissi e da madonni.

Ccà, ogni duminica matina all'una e mezza spaccate, si dava da mangiari a gratis ai tanti povireddri che s'apprisintavano doppo che avivano addimannato la limosina strate strate.

E c'era posto macari per le tri famiglie vigatisi che, per 'na scascione o per l'autra, vuoi a causa della guerra, vuoi per disgrazia sopravvinuta, prima se l'erano passata boniceddra e po', mischini, lentamenti erano caduti 'n miseria nìvura.

Nel locali ci stavano cinco longhe tavole capaci ognuna di vinti posti, ma non c'erano seggie, sulo panchi di ligno. La cucina, alla quali abbadavano tri brave coche, era stata arricavata 'n funno al magazzino ed era siparata dal cammarone di mangiari da un muro con una porta larga.

I piatti erano sempri abbunnanti e chi lo voliva potiva macari addimannari la ripetizioni: spachetti al suco o minestra per primo, pisci o carni con contorno di patati per secunno, un frutto di stascioni. 'Nzumma, fantasia scarsa ma consistenzia tanta. Se in una duminica cadiva macari qualichi festa, c'era 'na cosa duci di 'nvernu e un gilato di stati. Nenti vino pirchì era considerato un vizio periglioso, sulo acqua.

Col passari del tempo, 'na poco di povireddri erano addivintati clienti fissi. E s'assittavano sempri alle stesse seggie.

Alla tavolata allato si mittivano 'nveci le tri famiglie dicadute di Vigàta, una delle quali era numirosa assà, con vecchi e con quattro picciliddri che però non facivano battaria, si nni stavano muti e tanticchia vrigognosi, come lo erano i granni.

Un tavolo era arriserbato ai reduci di guerra, pirsone alle quali ammancava un vrazzo o 'na gamma opuro erano cechi. L'autri dù erano a disposizioni dei povireddri di passaggio o abbintizi.

Erano le stisse signure della bona società che sirvivano a turno 'n tavola ai povirazzi, pirchì accussì aviva voluto e ottinuto don Antonio Agliotta che era il patre spirituali dell'associazioni:

«Con 'sto gesto d'umiltati, signure mie, scuttate 'n parti, e sulo 'n minima parti, i piccatazzi vostri!».

E il parrino sapiva bono quello che diciva, datosi che 'n confissioni ne aviva ascutate tante da ristarne 'ntronato, ma ogni vota che aviva criduto di avirne sintute tutte le possibili e 'mmaginabili, viniva fora 'na pinitenti contrita che gliene contava una nova nova.

Che fantasia che avivano, 'n proposito, le fìmmine! E quelle che appartinivano al ricco ceto borgisi cchiù ne avivano e cchiù si nni facivano viniri! Pri sempio, e chista era l'urtima che aviva sintuto, com'era potuto viniri 'n testa alla signura Teodata Ficuzza di calarisi furminiamenti 'n funno a 'na cisterna dintra alla quali un muratori stava travaglianno mezzo nudo e aviri un congresso carnali con lui?

Se i mascoli di 'sta fantasia ne avissiro possiduto un quarto, sulo un quarto, per fari opire bone, il munno 'ntero in un vidiri e svidiri sarebbi addivintato un paradiso 'n terra.

Sulamenti la signura Matilde Bajocco, beddra fìmmina quarantina, mogliere del casceri della banca ragiuneri Arturo, midaglia di bronzo, non aviva voluto essiri della partita delle pie dame che avivano fatto nasciri il bocconi del poviro. E non aviva manco voluto spiegari la scascione del sò refuto.

«La cosa non mi 'ntiressa e basta!».

Le signure però non si erano date paci. Ma quanno, viste 'nutili le loro 'nsistenze, s'arrivolgero a patre Agliotta pirchì parlassi alla Bajocco per pirsuadirla, quello tagliò curto:

«Se non voli, lassamola stari».

'Na parti dei signori mariti, al contrario delle loro mogliere, la scascione del refuto 'nveci l'accanoscivano beni. Ma non la potivano diri.

Pirchì la signura Matilde Bajocco, già da quanno l'Italia era trasuta in guerra, era stata acchiamata lei stissa, ma in grannissimo sigreto, «il bocconi del poviro».

Macari lei 'nfatti, ma ben cinco anni avanti, si era mittuta a sfamari con grannissima ginirosità a chi aviva pititto.

E mai che si fusse 'na vota sula tirata narrè. Sempri pronta, sempri disponibili, compatibilmenti però con l'orari d'ufficio del raggiuneri sò marito.

I quali orari le lassavano tempo assà a disposizioni, il casceri 'nfatti si nni nisciva la matina alli setti e mezza, tornava all'una per mangiari, nisciva daccapo alli dù e mezza e s'apprisintava all'otto di sira.

Il sabato po', avenno la chiusura dei conti, doviva fari lo straordinario epperciò tardava fino alle deci.

I Bajocco, che non avivano avuto figli, bitavano in una villona a dù porte, una davanti e una narrè, propio allato all'ecchisi magazzino di lignami ora «bocconi del poviro».

Dalla porta di darrè si trasiva in un appartamintino mezzo 'ndipinnenti che la signura Matilde, sdilettanti di pittura, ma brava e considerata, aviva adottato come studdio. C'era macari 'na càmmara di letto supra alla quali spisso la signura, stanca della faticata artistica, s'annava a riposari.

Era in questo appartamintino, indove il marito non ci aviva mai mittuto pedi, che lei s'addedicava alle sò opire di beni.

Duranti l'anni di guerra, che il marito se li era fatti tutti al fronti fin dal primo jorno, la signura non si era sparagnata un momento, danno ai poveri sordati che godivano di 'na licenzia scappa e fuj, 'na bona mucconata d'autentico ristoro prima che tornassiro a rischiari la pelli.

Uno dei sò binificati, l'eroico capitano Scamarca, aviva addirittura scrivuto ai Comanni ginirali dell'esercito e della marina per fari aviri 'na midaglia alla signura con la siguenti motivazioni:

«Per l'indefesso, inesausto slancio col quale, meglio di una crocerossina, ha saputo totalmente mettersi a disposizione delle necessità dei combattenti».

Ma i Comanni ginirali, pigliate le debite 'nformazioni e accanosciute le spicifiche nicissità alle quali s'arrifiriva la proposta del capitano Scamarca, avivano addiciso che la midaglia non era cosa.

'Nzumma, macari se sirviva a sfamari 'n'autra parti del corpo, la cumparsa di questo secunno bocconi del poviro la signura Bajocco se l'era pigliata a malo.

E po', la matina della duminica era troppo 'mpignata datosi che sò marito Arturo, acqua o soli, usava annari fora del porto con una varcuzza a pigliari aria doppo 'na simana che si nni stava 'nchiuso 'n banca. Tornava 'n casa verso le dù e mezza.

Potiva 'n coscienzia perdiri il sò tempo a portari piatti 'n tavola ai povireddri?

Ma com'è che la signura aviva tutto 'sto gran travaglio? I mascoli vigatisi non avivano autro sfogo?

Certo che sì, ma come alla signura Bajocco non ci nni erano.

A parti la biddrizza veramenti rara, che già sarebbi abbastata da sula a spiegari tutto, il sò modo di fari era sempri comprensivo, amuruso e veramenti caritatevoli: non accittava rigali, pirchì la sò era 'na missioni, 'na ginuina opira di beni, ed era capace di stari ad ascutare parlari a un omo per un'orata 'ntera senza ammostrari il minimo signo di stuffatizzo.

Pirchì spisso l'òmini, appena che si mittivano 'n libbirtà, attaccavano a contarle disgrazii, 'ncomprensioni 'n famiglia, cose tinte che gli erano capitate. Si sfogavano e si nni tornavano alle sò case rassirinati.

Epperciò i patri, quanno che vidivano il propio figlio arrivari all'età giusta, prigavano alla signura Matilde di darici adenzia, certi che sarebbi stato trattato con materna sdillicatizza.

Tra le famiglie cadute 'n povirtà che annavano a mangiari al bocconi del poviro c'era macari quella del sissantino don Totò Martorana che era composta da lui, dalla mogliere Clementina e dal figlio Luicino che era un vintino che ci volivano occhi per taliarlo, tanto era beddro, àvuto e forti.

Don Totò era stato un comercianti di sùrfaro che un jorno, mentri che s'attrovava nel sò magazzino, era nisciuto pazzo da manicomio.

Di colpo, s'era arrefutato di vinniri il sùrfaro pirchì si era fatto pirsuaso che non si trattava di sùrfaro, ma d'oro zicchino epperciò il prezzo che gli volivano pagari era troppo vascio.

E siccome che il clienti, cridenno che lui voliva sgherzare, 'nsistiva, don Totò aviva agguantato il fucili e gli aviva sparato un colpo che per fortuna era annato a vacante.

Non aviva cchiù potuto abbadari al comercio, e i tri Martorana ora campavano stintati assà con la miseria dell'affitto del magazzino.

Per tutta la simana mangiavano pani, patati, cacio e cicoria. S'arrifacivano abbunnannimenti la duminica al bocconi del poviro.

Clementina era capace di sparagnari macari supra a quel picca e nenti che arriciviva a ogni misi pirchì tutto lo sparagno doviva sirviri per vistiri bono a Luicino.

«Tu sarai la nostra ricchizza!» diciva ogni matina al figlio mentri che lo pittinava.

Era fissata che Luicino, beddro com'era, un jorno o l'autro avrebbi fatto un gran matrimonio con una picciotta nobili e ricca.

Per questo non aviva voluto che Luicino pigliasse il posto del patre:

«La polveri del sùrfaro consuma i purmuna!».

O che facissi un qualisisiasi autro travaglio di 'mpiegato:

«Non c'è nenti di pejo che stari assittati per ure, alle spalli ci veni 'u ghimmo».

La signura Clementina non voliva manco che Luicino liggissi un libro:

«Leggiri fa mali all'occhi e po' ti devi mittiri l'occhiali».

Quanno annavano a mangiari al bocconi del poviro, lei si livava dal piatto mità della porzioni e la dava a Luicino:

«Tè, figlio mè, manteniti forti».

Se lo tiniva 'nsirrato 'n casa macari quann'era addivintato granni. Diciottino, Luicino aviva un jorno spiato alla matre:

«Mamà, mi la pozzo ghiri a fari 'na passiata al molo?».

«Sulo?».

«Sulo».

«E se ti veni un giramento di testa chi ti duna adenzia? No, meglio che non nesci».

E Luicino non aviva 'nsistuto. Ma il vero, ammucciato scanto della signura Clementina era che Luicino, spinto dalla giovanizza, annasse con qualichi fimminazza:

«I fìmmine portano malatie».

E pritinniva macari che Luicino, quanno che annava 'n bagno, tinissi la porta rapruta.

«Pirchì fari la cosa solitaria non sulo è piccato, ma fa addivintari cechi».

Squasi tutti, 'n paìsi, erano pirsuasi che macari la signura Clementina, 'n fatto di pazzia, potiva tiniri testa al marito.

Da parti sò Luicino non era capace d'arribbillarisi. La volontà sò matre pariva che gliela aviva sucata già mentri allattava. Era stato un picciliddro bidienti, che non chiangiva mai, e ora era un picciotto che pariva sempri mezzo addrummisciuto e con un sorriso malincuniuso fissato nella vucca.

## Due

'Na duminica don Totò s'arrisbigliò malamenti.

Doppo la sparatina contro il clienti, ed erano passati anni, non aviva cchiù rapruto vucca, pariva che s'era scordato di come si faciva a parlari. Se aviva bisogno di qualichi cosa, l'addimannava a gesti.

Quella duminica 'nveci parlò. Anzi, gridò:

«Clementina!».

Alla signura, che stava arrizzittanno la casa, non ci parse vero. Capace che a sò marito gli era passata la pazzia. Corrì nella càmmara di letto.

«Totò!».

«Clementì, finalmenti ho scoperto chi mi futtì l'oro dal magazzino!».

«Vabbeni, vabbeni» fici sdillusa sò mogliere tornanno ad arrizzittari.

«E se l'incontro, l'ammazzo!» continuò don Totò.

«Vabbeni, vabbeni» arripitì la signura Clementina dall'autra càmmara.

Verso le dù e mezza i Martorana niscero dal bocconi del poviro. Fatti tri passi, don Totò vitti a uno che passava e lo chiamò. Quello, che era un forasteri di passaggio, s'avvicinò.

«Desidera?».

«Ridammi l'oro che mi futtisti dal magazzino, grannissimo cornuto!».

La signura Clementina e Luicino ristaro 'mparpagliati.

«Quale oro?» spiò il forasteri strammato.

'Nveci d'arrispunnirigli, don Totò fici 'na gran vociata e l'aggrampò. Macari il forasteri aggrampò a don Totò. E i dù, vocianno, s'arrutuliaro 'n terra.

Luicino voliva annare a spartirli, ma sò matre se lo tinni stritto gridanno:

«No, ti ponno fari mali!».

A sintiri tutte quelle vociati viniri dalla strata, la signura Bajocco, che aviva appena finuto di conzare la tavola e aspittava il ritorno del marito, s'affacciò al balconi.

E subito ristò furminata dalla biddrizza di Luicino che mai aviva viduto prima.

Abbisogna però chiariri che il sò non era un intiressi, come diri, consolatorio, ma puramenti artistico.

Erano anni che le firriava per la testa di pittare un Apollo dormiente, ma non aviva mai attrovato il modello che ci voliva. E ora quel modello tanto addisidirato ce l'aviva sutta all'occhi.

Non lo potiva lassari perdiri. In un vidiri e svidiri scinnì 'n strata.

La sciarriatina tra i dù era appena finuta, il forasteri si nni stava ghienno, a don Totò gli colava un filo di sangue dalla vucca, un pugno gli aviva spaccato la gingiva, e il sò vistito nìvuro era tutto 'mpruvolazzato.

«Vengano su da me» fici la Bajocco.

Tempo deci minuti le dù signure rimisiro in ordini a don Totò.

«Non saccio come arringraziarla» fici la signura Clementina.

«Un modo ci sarebbi» dissi pronta la Bajocco.

«E quali?».

«Vorrei che vostro figlio posasse per mia».

«E che ci avi a posari?» spiò la signura Clementina che non ci aviva accaputo nenti.

«Vorrei che mi facissi da modello».

Clementina stunò.

«Che veni a diri?».

«Siccome che aio 'n testa di fari un Apollo mentri che dormi...».

«E chi sarebbi 'sto pollo che dormi?».

La signura Bajocco sospirò, s'armò di santa pacienza e in un quarto d'ura le spiegò ogni cosa.

«E mè figlio si nni devi stari nudo facenno finta che dormi?».

La signura Bajocco accapì che non era cosa di dirle che sò figlio gli abbisognava propio nudo.

«Sulo il petto».

S'accomenza col petto e po' non si sa indove si va a finiri, pinsò Clementina.

«Io voglio essiri prisenti».

«Vabbeni».

«E quanto dura 'sta facenna?».

La Bajocco si fici un rapito craccolo.

«Minimo dù misi».

«Tutti i jorni?!» strammò l'autra.

«Ma no! Sulo dù ure la duminica matina, dalle deci e mezza a mezzojorno e mezza. Naturalmenti, pagherò il distrubbo».

«Quanto?» spiò subito l'autra appizzanno l'oricchi.

«Deci liri per ogni ura di posa».

Visto e considerato che non si trattava di un travaglio vero e propio, ma di starisinni per un dù orate stinnicchiato a petto nudo, visto e considerato che il pagamento sarebbi stato di vinti liri a duminica, visto e considerato che lei potiva essiri prisenti, la signura Clementina accittò. Avrebbiro accomenzato dalla duminica che viniva.

La cammarera della Bajocco s'apprisintava a puliziari la casa di prima matina nei jorni pari. Il sabato la signura le dissi di portari 'na poco di pianti che tiniva supra al tirrazzo, 'na ferci, 'na parmuzza, un aranceddro e dù rosi, nello studdio di sutta e d'assistimarle vicino alla dormusa che stava picca distanti dal cavalletto.

La duminica matina, doppo aviri dato ristoro a un povireddro dalle novi alle deci, si nni scinnì nello studdio con una coperta virdi che assistimò supra alla dormusa circonnata dalle pianti.

Si tirò narrè di tri passi e contimplò l'opira. L'effetto vosco che voliva ottiniri propio non c'era, ma, 'nzumma, con tanticchia di fantasia... Alle deci e mezza spaccate matre e figlio arrivaro. Luicino aviva cappeddro, cappotto, giacchetta, gilecco e cravatta. E, come la Bajocco avrebbi viduto da lì a picca, macari 'na maglia di lana.

«Si devi mittiri a petto nudo e po' stinnicchiarisi ddrà supra» fici la Bajocco 'ndicanno la dormusa.

Il picciotto taliò 'ntirrogativo a sò matre.

La quali calò la testa facennogli 'nzinga di sì. La Bajocco si nni annò 'n càmmara di letto e si misi un cammisi bianco. E, dato che c'era, si detti macari 'na passata di trucco.

Quanno tornò, attrovò a Luicino stinnicchiato a petto nudo. Ma aviva il cappeddro 'n testa. La matre si era assittata supra 'na seggia tinenno la robba del figlio.

«Il cappeddro se lo devi livari».

«Ci lo dissi io di tinirisillo pirchì ccà dintra fa friddo!» protistò battagliera Clementina.

Persi deci minuti boni a convincirla.

«Ora si metta col vrazzo mancino sutta alla testa e il vrazzo dritto lungo il scianco con la mano posata supra alla coscia».

Il picciotto taliò strammato a sò matre. La quali si susì, misi la robba supra alla seggia, annò a sistimari a Luicino nella posizioni dovuta. Po' gli spiò:

«T'attrovi commodo?».

Luicino isò un dito e fici 'nzinga di no. Si persiro autri deci minuti per attrovari 'na posizioni che annava beni. Ma la 'nclinazioni della testa non era giusta. La Bajocco s'avvicinò alla dormusa e allungò 'na mano.

«Ferma! Chi voli fari?» spiò allarmata Clementina susennosi di scatto e lassanno cadiri la robba 'n terra.

«Volivo mittirigli la testa...».

«Lei non lo devi toccari! Dicissi a mia che ci penso io!».

La Bajocco s'armò di pacienza e le spiegò come voliva che Luicino tinissi la testa con l'occhi chiusi.

Cchiù lo taliava e cchiù si faciva pirsuasa che un modello accussì non l'avrebbi mai attrovato.

Quanno alle dodici e mezza la Bajocco finì di travagliare col carboncino, Clementina dovitti arrisbigliari a Luicino che si era addrummisciuto.

Dù duminiche appresso la Bajocco finì il disigno a carboncino.

«La prossima vota accomenzo col colori».

«Pozzo taliare?» spiò Clementina.

«Taliasse».

Clementina taliò e fici un sàvuto narrè.

«Nudo è!».

«Apollo non portava vistiti».

«Ma la facci è di mè figlio!».

«Embè?».

«Ci fa fari 'na mala fiura!».

«Pirchì?».

«Pirchì mè figlio non l'avi accussì!».

La Bajocco accapì 'mmidiato a che s'arrifiriva la signura Clementina.

«E come l'avi?».

«Voli babbiare? Chisto che addisignò lei pari di un picciliddro!».

La Bajocco ripigliò 'n mano il carboncino e travagliò. Doppo spiò:

«Vabbeni accussì?».

«'Nzumma...» fici Clementina non tanto convinciuta.

Quanno i dù si nni ghiero, la pittrici ristò a contimplari ammirata il ritocco.

Maria che pittorali, che muscolatura, che nirvatura che aviva quel picciotto! Via via che procidiva, alla Bajocco le capitava 'na cosa stramma. Sintiva che i pili del pinnello, doppo tanticchia, addivintavano come i polpastrelli delle sò dita e lei non pittava, ma carizzava la pelli del picciotto in un continuo gesto amuruso. Certe vote la sinsazioni era accussì forti che era obbligata a chiuiri l'occhi e firmarisi di pittare. Alla fini delle dù ure si sintiva svacantata come quella vota che dovitti sfamari a uno che s'era appena fatto deci anni di galera.

Prima di mettiri mano all'Apollo dormiente, la signura Bajocco aviva accomenzato un autoritratto indove era corcata nuda supra alla dormusa. Lo finì che aviva appena pittato tutta la parti superiori dell'Apollo dormenti e lo lassò appuiato 'n terra. Quella duminica era l'urtimo jorno che viniva Luicino. Dato che Clementina non avrebbi mai consintito che sò figlio si spogliava 'nteramenti, non c'era cchiù bisogno di lui. Alle deci e mezza tuppiaro. Annò a raprire e s'attrovò davanti a Luicino.

«E sò matre?».

«Curcata con la 'nfruenza è. Dato che è l'urtimo jorno, mi detti il primisso di viniri sulo».

Nel chiuiri la porta, l'autoritratto sciddricò e cadì. La Bajocco lo rimisi a posto. Luicino a petto nudo s'assistimò supra alla dormusa. La pittrici voliva rifari 'na poco di cose della facci. Ma Luicino stavota aviva l'occhi aperti e taliava verso 'na parti dello studdio.

«Tenga l'occhi chiusi, per favori».

Nenti da fari, doppo manco cinco minuti Luicino aviva novamenti l'occhi sgriddrati, era addivintato russo 'n facci e sudacchiava. Che gli stava capitanno? La Bajocco seguì il sò sguardo. Nel rimittiri a posto l'autoritratto non si era addunata d'avirlo appuiato arriversa. Luicino ora potiva vidiri com'era fatta senza vistiti.

«Sei mai stato con una fìmmina?» gli spiò carizzevoli.

«Mai!» arrispunnì Luicino arrussicanno ancora chiossà.

Senza diri 'na parola, la Bajocco si livò il cammisi. Da pittrici che era, ora era tornata a essiri il bocconi del poviro.

«Spogliati» dissi al picciotto.

«Mi vrigogno» replicò Luicino.

«Ti spoglio io» fici caritatevoli la Bajocco.

# Tre

E questa fu l'origini di tutto il viriviri che capitò appresso.

La spirenzia fatta con la signura Bajocco cangiò 'stantaniamenti il carattiri di Luicino. 'Nzumma, l'Apollo dormenti s'arrisbigliò in un vidiri e svidiri. Quanno, quella matinata stissa che la Bajocco gli aviva fatto la carità, il picciotto si nni annò con sò patre a mangiari al bocconi del poviro, di fora era il solito Luicino mezzo assunnacchiato, di dintra era priciso 'ntifico a un vurcano pronto a splodiri.

Appena era tornato a la casa, 'nfatti, la prima cosa che aviva fatto era stata quella d'ottiniri, a malgrado delle proteste e delle vociate di sò matre, di tiniri chiusa la porta del bagno quanno che ci annò. E di starici dintra 'nsirrato a longo.

Ora abbisogna sapiri che tra le pie donne che sirvivano a tavola i povireddri ci nni erano dù, Angelica Lomascolo e Tana Siroti, che dalla prima vota che l'avivano viduto avivano ghittato l'occhi supra a Luicino, ma si erano addunate presto che la cosa non era tanto facili, vuoi pirchì sò matre gli tiniva la catina troppo curta e non lo pirdiva di vista un momento, vuoi pirchì il picciotto non pariva 'ntirissato.

Erano tutte e dù trentine appitibili, maritate con dù òmini chiuttosto babbasuna che scarsamenti rispittavano il doviri coniugali epperciò disidirose di rifarisi fora casa. Patre Agliotta le considerava le cchiù perigliose tra le sò assistute, quanno si mittivano 'n testa d'ottiniri qualichi cosa, squasi sempri un omo, non c'era verso, prima o po' ci sarebbiro arrinisciute senza farisi nisciuno scrupolo.

Tra le dù signure c'era 'na granni cunfidenzia. E naturalmenti, un jorno che Angelica era annata 'n casa di Tana, il discurso cadì supra a Luicino. E altrettanto naturalmenti 'gnoravano quello che era capitato tra il picciotto e la signura Bajocco. Però le fìmmine, come è cognito, hanno le 'ntinne. «Dalla duminica passata lo trovo cangiato, a 'sto picciotto. Mi pare che ora ogni tanto l'occhio gli scappa» fici Tana.

«Macari io lo notai» dissi Angelica.

«Io me l'insogno la notti» dissi a un certo punto Tana.

«Pirchì, io no?» fici Angelica.

Si taliaro 'n silenzio. E subito appresso si misiro a raggiunari, 'n principio squasi per sgherzo po' sempri cchiù seriamenti, su come avrebbiro potuto evitari, macari per il sulo tempo bastevoli per un rapito 'ncontro, l'ostacolo della matre.

Alla fini, 'na soluzioni l'attrovaro. Ma sarebbi sirvuta sulo a Tana. Angelica avrebbi dovuto portari tanticchia di pacienza, po', in un modo o nell'autro, si sarebbi attrovata l'occasioni bona macari per lei.

Allato alla cucina ci stava lo spogliatoio riserbato alle pie dame le quali, dovenno sirviri a tavola, si mittivano tutte le scarpi commode e 'na parannanza bianca per non allordarisi i vistiti.

'Na matina Angelica Lomascolo, mentri che s'attrovava dintra allo spogliatoio con Tana e autre tri amiche, dissi che non si sintiva tanto bono. «Che hai?» le spiò la signura Consolato che, essenno la cchiù anziana, era la capoturno.

«Aio firriamenti di testa».

«Pirchì non ti nni torni a la casa?» suggirì la Consolato.

«Non voglio che per causa mia voi doviti travagliare chiossà» arrispunnì ginirosamenti Angelica.

Il primo piatto, quel jorno, era 'na bella minestra di fasoli.

E accussì capitò che Angelica ebbi un firriamento di testa propio mentri s'attrovava darrè alla signura Clementina e la stava per sirviri. Il piatto le sciddricò dalla mano e la ministrina bollenti annò a 'nfilarisi tra il vistito e le spalli della signura.

La quali satò addritta e si misi a fari vociate d'addannata mentri che eseguiva 'na speci di ballo di san Vito.

«Mi conzumò! Tutta m'abbrusciò! Maria, che dolori!».

'Mmidiata ci fu 'na gran confusioni. Fu la signura Consolato a pigliari 'n mano la situazioni.

«Seduti e silenzio!».

Tutti bidero, con la Consolato non si sgherzava. Po' s'avvicinò, taliò il danno e decretò:

«Abbisogna portari subito la signura Clementina da un medico».

Erano le paroli che Tana e Angelica spiravano che diciva.

«La porto da mè marito» fici pronta Tana Siroti. «Per fortuna stamatina vinni con la carrozza».

«Lei accompagni sua madre!» ordinò la Consolato a Luicino. «A sò patre ci abbado io».

Per tutto il viaggio la signura Clementina continuò a fari come 'na Maria. «Chi foco granni! Che abbrusciori! Ora mi vaio a ghittari a mari!».

Per tinirla ferma, Tana dovitti cummattiri tanto che la gonna le acchianò fino a supra al ginocchio.

E notò, con 'na certa sodisfazioni, che Luicino, lassanno perdiri a sò matre, si era 'ngiarmato a taliarle le gamme scoperte con l'occhi sbrilluccicanti e passannosi ogni tanto la lingua supra alle labbra.

Pariva un gatto affamato davanti a dù triglie frische. Un bripito passò lungo la schina di Tana.

A quell'ora il dottori Siroti era ancora nel sò gabinetto, allocato nello stisso pianerottolo indove ci stava macari la sò bitazioni. Tana trasì seguitata da Luicino che riggiva la matre.

«C'è mè marito?» spiò alla 'nfirmera.

«Sissi, sta visitanno a uno».

«Appena che nesci, faccia trasire a 'sta signura che si è squadata le spalli. 'Ntanto ci abbadi lei. Quanno mè marito ha finuto di medicarla, me lo venga a diri. Io sono di là».

E po', arrivolta a Luicino:

«È inutile che lei sta ccà. Venga con mia».

Mentri che rapriva la porta di casa, Tana carcolò che

aviva 'na mezzorata di tempo a disposizioni. Bastevoli, sempri che Luicino non avissi qualichi cosa 'n contrario.

Ma Luicino non ebbi nenti 'n contrario.

Anzi.

«Come fu?» spiò Angelica che nel tardo doppopranzo si era apprecipitata ad attrovari all'amica.

Tana chiuì l'occhi e fici un longo sospiro. Po' parlò.

«'U tempo fu picca, 'na mezzorata, ma ti pozzo diri che 'sto picciotto è 'na cosa rara. Alla scarsa spirenzia supplisci con un ardori tali che... lassamo perdiri, và».

«E per mia che potemo fari?» spiò 'nvidiosa Angelica con l'acqualina 'n vucca.

«Non è possibili squadari 'n'autra vota a Clementina» ossirvò Tana.

«E po' a mia non m'abbasta 'na mezzorata» pricisò Angelica. «Io, a Luicino, me lo voglio spurpari».

«Pinsamoci tanticchia» proponì Tana.

Ci pinsaro. E un modo, alla fini, l'attrovaro.

Un jovidì matina che don Totò era ancora corcato e Luicino si nni stava da un'orata 'nsirrato 'n bagno, Clementina sintì tuppiare. Annò a rapriri e s'attrovò davanti alla zà Filippa.

«Bongiorno».

«Bongiorno».

«Pozzo trasiri?».

'A zà Filippa era 'na vecchia sittantina laida come la morti, 'ntortata e zoppa, accanosciuta 'n tutta Vigàta come 'na ruffiana, 'na mizzana di matrimoni, la meglio che c'era in quanto aviva canoscenze nei pàisi vicini e faciva maritaggi sulo tra genti ricca.

Appena che la vitti, a Clementina le s'allargò il cori. Vuoi vidiri che quello che ho spirato con tutta l'arma ora mi sta succidenno? pinsò.

«Trasite, trasite».

La fici accomidari nella càmmara di mangiari.

«Voliti un cafè?» spiò tutta cirimoniusa.

«'Na guccia».

Mentri priparava la cafittera, a Clementina trimavano le mano. Nelle grecchie sintiva campani che sonavano a festa.

Vivutosi il cafè, 'a zà Filippa attaccò. Usava sempri pigliari l'argomento alla larga. Tirò un sospiro doloroso e dissi:

«Io l'accapiscio quanto pò soffriri 'na povira matre se un figlio si nni nesci per sempri di casa».

Le campane a Clementina sonaro cchiù forti.

«Eh già. La soffirenzia è granni».

Sospiraro 'n contemporania.

«Ma se si tratta di fari la filicità di un figlio...» azzardò Clementina.

«Bono parlastivu. 'U sacrificiu della matre è nenti a petto della fortuna del figlio».

Ma quanno s'addicidi a diri quello che devi diri? si spiò Clementina. «Accussì è!».

«E io vinni per farivi 'na proposta».

«Parlati».

«Vostro figlio Luicino libbiro è?».

«Certamenti».
«L'accanosciti alla signura Angelica Lomascolo?».
«Certo. È una signura del bocconi del poviro. Tempo fa le spalli mi squadò, ci firriò la testa e...».
«Ecco» tagliò la mizzana. «La signura Lomascolo parlò di vostro figlio a 'na sò amica di Montelusa, la baronissa Trimarchi... Ne aviti 'ntiso parlari?».
«Della baronissa Trimarchi? No».
«Oltri a essiri 'na beddra fìmmina, è ricca assà, terre, case, mulini...».
«Ma quant'anni avi?».
«La stissa età della signura Lomascolo. Ed è vidova, ma senza figli».
«Però Luicino avi squasi deci anni di meno!».
«E chi vi nni 'mporta di l'età? Pinsati alle ricchizze. Comunqui la baronissa addisidira rimaritarisi pirchì voli un eredi. E po', vi parlo latino, vostro figlio possedi sulo la biddrizza, non avi né arti né parti. E la biddrizza passa presto. Se non profittati di 'st'occasioni, Luicino, criditi a mia, ristirà poviro e pazzo».
«Vabbeni» fici Clementina.
«Naturalmenti la baronissa prima lo voli vidiri. E stari 'na mezza jornata con lui per parlarici e accanoscirlo bono».
«E come si pò fari?».
«Domani a matino torno e v'arripeto quello che mi dici la baronissa».
Appena che la mizzana si nni fu ghiuta, Luicino niscì dal bagno.
«Con chi parlavi?».

«Con la tò fortuna!» arrispunnì Clementina chiangenno per la filicità.

Po', doppo avirigli contato tutto, raprì l'armuàr e tirò fora il vistito bono di Luicino. Fitiva di naftalina. Lo misi fora dal balconi a pigliari aria.

## Quattro

’A zà Filippa s’apprisintò che erano le novi. Stavota macari Luicino era prisenti.

«Tutto a posto è».

«Spiegativi».

«La signura Angelica per l’incontro metti a disposizioni la sò casa di campagna».

Clementina si sintì sdillusa. S’era ’mmaginata d’essiri ricevuta nel palazzo baronali ’n pompa magna.

«Pirchì ’n campagna?».

«Pirchì nel sò palazzo c’è troppa sirvitù e la baronissa non voli che la genti sparla. Perciò io domani a matino, verso l’otto e mezza, vegno a pigliare a Luicino con la carrozza della signura Lomascolo e me lo porto».

«E io?!».

«Voi ristati ccà. La baronissa lo voli vidiri a sulo».

Clementina s’arriggidì come un baccalà.

«Io a sulo con una fìmmina non lo lasso!».

«Ma è sulo per modo di diri! Ci sugno io, c’è la signura Angelica, c’è sò marito... Non mittitivi subito ’n mezzo, capace che la baronissa si sdigna e lassa perdiri».

Clementina agliuttì amaro e non arreplicò.

Quella matina stissa portò a Luicino dal varberi e lo fici arrimunnari.

Il jorno appresso, che era sabato, l'arrisbigliò alle sei e gli fici fari un bagno di un'orata. Po' lo vistì bono, lo taliò e si misi a chiangiri.

Quanno che foro 'n vista della casina, 'a zà Filippa dissi al coccheri di firmari e si votò verso Luicino:

«Tu vai a pedi, io con la carrozza vaio a pigliari alla baronissa. La signura Angelica ti farà 'ntanto cumpagnia, sò marito non potti viniri».

Luicino s'arricampò a la sò casa che erano le cinco del doppopranzo. Angelica, come s'era ripromittuta, se l'era spurpato.

Contò a sò matre quello che gli aviva ditto di diri Angelica e cioè che 'a zà Filippa era ghiuta a pigliari alla baronissa ma quella aviva cangiato idea, non si voliva cchiù maritari. La mizzana aviva a longo tintato di convincerla, ma non c'era stato nenti da fari. Alle quattro del doppopranzo era tornata nella casina e aviva arrifirito la malanova.

«Levati 'u vistito che si sparda» fici Clementina prima di mittirisi a chiangiri come 'na fontana.

Luicino si spogliò e si ghittò supra al letto. Non s'arriggiva addritta. E po' doviva assolutamenti arrecuperari dato che all'indomani, duminica, doviva fari la cosa che gli aviva ditto la signura Angelica.

La matina appresso, che si era già fatta l'ura d'annari a mangiari al bocconi del poviro, Luicino non si era ancora susuto dal letto.

«Allestiti ca facemo tardo» dissi Clementina.

«Mamà, non me la sento».

«E pirchì?».

«Aio un grannissimo malo di panza. Portatimi qualichi cosa che cchiù tardo, se mi passa, me la mangio».

Appena che sò patre e sò matre si nni foro ghiuti, si vistì, niscì e s'addiriggì verso lo studdio del dottori Siroti. Tana, che si era fatta sostituiri al bocconi del poviro, lo vitti viniri dal balconi e gli annò a rapriri la porta dell'appartamento. Avivano un'orata e mezza di tempo.

Sempri meglio della mezz'ora presciolosa della prima vota.

Marianna D'Agata aviva l'occhio longo. Era 'na signura quarantina di bella prisenza che aviva lo stisso turno, e li stissi pititti, di Angelica e Tana. E macari lei ci aviva fatto un pinsero supra a Luicino. Le sò 'ntinne agguantaro che c'era qualichi cosa di cangiato tra Angelica, Tana e Luicino. Qualichi cosa di 'mpercettibili, cchiù liggero di 'na filinia, ma c'era. Per esempio, quanno che sirvivano al picciotto, s'appuiavano. Tutte le signure, quanno si calavano per posari il piatto davanti a un poviro, si mantinivano a 'na certa distanzia, facenno 'n modo che tra loro e il poviro non ci fusse il minimo contatto.

'Nveci Angelica e Tana, quanno sirvivano a Luicino, ora gli appuiavano l'anca contro la spalla, ora si calavano tanto sino a sfiorari con le loro facci quella del picciotto. E questo capitava macari senza che lo volissiro, come se i corpi tra loro s'accanoscissiro bono e non potissiro fari a meno di risintirisi vicini.

'Na speci di prova difinitiva l'ebbi quanno 'na duminica Tana si fici sostituiri e Luicino non vinni a mangiari. No, non potiva essiri stato un caso.

Pirchì iddre sì e io no? si spiò.

Sì, ma come? Da sula, non ce l'avrebbi mai fatta. Aviva bisogno di 'na mano d'aiuto.

Allura pinsò d'arrivolgirisi alla sò amica, la signura Bajocco. Gliene avrebbi parlato il jovidì che viniva, all'inaugurazioni della sò mostra di pittura nel saloni del municipio. E continuò a sirviri 'n tavola.

I Martorana 'n generi erano l'urtimi a nesciri dal bocconi del poviro. Quella duminica appena che foro 'n strata, la signura Bajocco, che si nni stava alle postìe, chiamò a Clementina dal balconi:

«Potrebbiro viniri un momento nello studdio?».

Aviva 'ntinzioni di fari vidiri a Clementina l'Apollo dormenti prima d'esporlo per evitare che quella si mittiva a fari catunio duranti la mostra. «Vabbeni».

Nel momento priciso nel quali raprì la porta per fari trasire a tutta la famiglia, don Totò pigliò il fujuto addiriggennosi verso il molo, prontamenti assicutato da Clementina. Luicino ristò 'mparpagliato.

La signura Bajocco allungò un vrazzo, se lo tirò dintra e chiuì la porta. Ma passati 'na vintina di minuti accapì che sò marito era tornato dalla matinata 'n varca.

«Mannaggia, ti devo lassari. Tu rivestiti e vattinni di cursa» fici ancora col sciato grosso, dannosi 'n'aggiustata e addiriggennosi verso la scaliceddra che portava al piano di supra.

'Ntanto don Totò, arrivato al porto, aviva aggrampato a un carrabbineri accusannolo d'essiri complici di quelli che gli avivano fottuto l'oro. Era stato portato 'n caserma mentri Clementina ci ghiva appresso chiangenno. Ci vosi 'na mezzorata bona prima che lo rilassassiro. Clementina acccompagnò a sò marito a la casa e po' annò 'n cerca di Luicino.

Mentri che si portavano a don Totò 'n caserma, la signura Marianna D'Agata, che aviva finuto d'arrizzittare con l'amiche il cammarone del bocconi del poviro, cangiò idea. Capace che alla mostra ci sarebbi stata troppa genti e non avrebbi potuto parlari 'n paci con la Bajocco.

Addicidì d'annarla ad attrovare subito. Passanno davanti alla porta dello studdio, ebbi un momento d'esitazioni e si firmò. Po' arriflittì che a quell'ura la Bajocco stava mangianno con sò marito o aviva appena finuto.

Stava per arripigliari a caminare quanno la porta si raprì e comparse Luicino. Senza rinnirisi conto di quello che faciva, la signura Marianna gli detti un ammuttuni, lo fici ritrasiri dintra, lo seguì e chiuì la porta.

A vidirisillo davanti, aviva perso la testa.

Quanno che finero di mangiari e sò marito si nni annò a corcari, la signura Bajocco scinnì nell'appartamento di sutta. Siccome che faciva càvudo, nella càmmara di letto si spogliò completa e si 'nfilò il cammisi. Po' trasì nello studdio. Tutto potiva aspittarisi meno che d'attrovari a Luicino e alla sò amica Marianna tutti e dù nudi supra alla dormusa 'mpignati assà a fari la cosa.

Detti 'na gran vociata che 'nzallanì la coppia bloccannola e affirrò a Marianna per i capilli.

In un vidiri e svidiri s'arrutuliaro supra al pavimento dannosi pugni e gracciannosi. Il cammisi della Bajocco nell'azzuffatina si nni volò via e le dù fìmmine, tutte e dù nude, continuaro a darisille. Luicino, scantato a morti, si nni stava apparalizzato supra alla dormusa. Manco aviva la forza di rivistirisi.

Fu a questo punto che la porta si raprì e spuntò Clementina.

Folgorata, senza arrinesciri a diri 'na parola, sbinni e ristò col corpo mezzo fora e mezzo dintra.

Tri pirsone che stavano passanno, vidennola cadiri 'n terra, s'apprecipitaro a soccorrirla. E accussì ebbiro modo d'addunarisi di quello che stava capitanno dintra allo studdio.

Mentri che Clementina, tornata a la casa, abbottava la facci di Luicino a pagnittuna, la notizia di quello che era successo 'n casa della Bajocco in un fiat corrì paìsi paìsi.

Doppo 'na mezzorata, che la facci di Luicino era addivintata come 'na scanata di pani appena sfurnato, il picciotto sbracò e contò ogni cosa alla matre.

E, dato che c'era, le dissi macari di Angelica e di Tana.

A Clementina di colpo le acchianò la fevri a quaranta. Aviva la vava alla vucca per la raggia e straparlava. Doviva vinnicarisi masannò scoppiava. Po' fici 'na pinsata.

Alle sei nel corso di Vigàta accomenzava la passiata duminicali che toccava il massimo di pirsone alle setti. E alle setti 'n punto, davanti al municipio, arrivò Clementina con una seggia 'n mano.

Posò la seggia, ci acchianò supra e dissi:

«Ascutatemi tutti!».

'Na vintina di pirsone si firmaro.

«Ascutatemi tutti!» arripitì Clementina.

Le pirsone addivintaro un cintinaro.

Clementina stimò che il pubblico fossi bastevoli e attaccò:

«Lo sapiti che jovidì si 'naugura la mostra della signura Bajocco?».

«Sì» ficiro 'na poco di voci.

«Allura vi voglio diri che c'è un quatro che s'acchiama Apollo che dormi e che arrapprisenta a mè figlio Luicino. Però se Apollo dormi, 'na certa parti del sò corpo è stata sempri viglianti. Mi capistivu di quali parti staio parlanno?».

«L'avemo accaputo» arrispunnì la genti accomenzanno ad addivirtirisi.

«E come e quanto sia stato viglianti lo potiti spiari, oltri che alla signura Bajocco stissa, alle signure Marianna D'Agata, Angelica Lomascolo e Tana Siroti, una cchiù buttana dell'autra».

Dù guardie comunali, arrivate di cursa, l'agguantaro, le tapparo la vucca e se la portaro dintra al municipio.

Ma oramà era fatta.

'Nutili diri che le quattro fìmmine nominate addenunziaro subito ai carrabbineri a Clementina come pazza furiosa, 'nutili diri che per il sì o per il no, il sinnaco addicidì che la mostra non si sarebbi cchiù tinuta.

Ma patre Agliotta volli vidirici chiaro. E obbligò le quattro a confissarisi. E quelle dovittiro diri la virità.

E fu per questa scascione che il bocconi del poviro, quello fatto dalle pie dame, vinni chiuso d'autorità quinnici jorni appresso.

L'autro, quello della signura Bajocco, continuò, grazii a Dio, a funzionari.

# Indice

*Le vichinghe volanti e altre storie d'amore a Vigàta*

Il terremoto del '38 9
Le somiglianze 49
L'asta 87
Le vichinghe volanti 125
I cacciatori 165
I fantasmi 201
In odore di santità 239
Il boccone del povero 275

Questo volume è stato stampato
su carta Palatina
delle Cartiere di Fabriano
nel mese di novembre 2015
presso la Leva Printing srl - Sesto S. Giovanni (MI)
e confezionato
presso IGF s.p.a. - Aldeno (TN)

La memoria

*Ultimi volumi pubblicati*

701 Angelo Morino. Rosso taranta
702 Michele Perriera. La casa
703 Ugo Cornia. Le pratiche del disgusto
704 Luigi Filippo d'Amico. L'uomo delle contraddizioni. Pirandello visto da vicino
705 Giuseppe Scaraffia. Dizionario del dandy
706 Enrico Micheli. Italo
707 Andrea Camilleri. Le pecore e il pastore
708 Maria Attanasio. Il falsario di Caltagirone
709 Roberto Bolaño. Anversa
710 John Mortimer. Nuovi casi per l'avvocato Rumpole
711 Alicia Giménez-Bartlett. Nido vuoto
712 Toni Maraini. La lettera da Benares
713 Maj Sjöwall, Per Wahlöö. Il poliziotto che ride
714 Budd Schulberg. I disincantati
715 Alda Bruno. Germani in bellavista
716 Marco Malvaldi. La briscola in cinque
717 Andrea Camilleri. La pista di sabbia
718 Stefano Vilardo. Tutti dicono Germania Germania
719 Marcello Venturi. L'ultimo veliero
720 Augusto De Angelis. L'impronta del gatto
721 Giorgio Scerbanenco. Annalisa e il passaggio a livello
722 Anthony Trollope. La Casetta ad Allington
723 Marco Santagata. Il salto degli Orlandi
724 Ruggero Cappuccio. La notte dei due silenzi
725 Sergej Dovlatov. Il libro invisibile
726 Giorgio Bassani. I Promessi Sposi. Un esperimento
727 Andrea Camilleri. Maruzza Musumeci
728 Furio Bordon. Il canto dell'orco
729 Francesco Laudadio. Scrivano Ingannamorte

730 Louise de Vilmorin. Coco Chanel
731 Alberto Vigevani. All'ombra di mio padre
732 Alexandre Dumas. Il cavaliere di Sainte-Hermine
733 Adriano Sofri. Chi è il mio prossimo
734 Gianrico Carofiglio. L'arte del dubbio
735 Jacques Boulenger. Il romanzo di Merlino
736 Annie Vivanti. I divoratori
737 Mario Soldati. L'amico gesuita
738 Umberto Domina. La moglie che ha sbagliato cugino
739 Maj Sjöwall, Per Wahlöö. L'autopompa fantasma
740 Alexandre Dumas. Il tulipano nero
741 Giorgio Scerbanenco. Sei giorni di preavviso
742 Domenico Seminerio. Il manoscritto di Shakespeare
743 André Gorz. Lettera a D. Storia di un amore
744 Andrea Camilleri. Il campo del vasaio
745 Adriano Sofri. Contro Giuliano. Noi uomini, le donne e l'aborto
746 Luisa Adorno. Tutti qui con me
747 Carlo Flamigni. Un tranquillo paese di Romagna
748 Teresa Solana. Delitto imperfetto
749 Penelope Fitzgerald. Strategie di fuga
750 Andrea Camilleri. Il casellante
751 Mario Soldati. ah! il Mundial!
752 Giuseppe Bonarivi. La divina foresta
753 Maria Savi-Lopez. Leggende del mare
754 Francisco García Pavón. Il regno di Witiza
755 Augusto De Angelis. Giobbe Tuama & C.
756 Eduardo Rebulla. La misura delle cose
757 Maj Sjöwall, Per Wahlöö. Omicidio al Savoy
758 Gaetano Savatteri. Uno per tutti
759 Eugenio Baroncelli. Libro di candele
760 Bill James. Protezione
761 Marco Malvaldi. Il gioco delle tre carte
762 Giorgio Scerbanenco. La bambola cieca
763 Danilo Dolci. Racconti siciliani
764 Andrea Camilleri. L'età del dubbio
765 Carmelo Samonà. Fratelli
766 Jacques Boulenger. Lancillotto del Lago
767 Hans Fallada. E adesso, pover'uomo?
768 Alda Bruno. Tacchino farcito
769 Gian Carlo Fusco. La Legione straniera
770 Piero Calamandrei. Per la scuola
771 Michèle Lesbre. Il canapé rosso
772 Adriano Sofri. La notte che Pinelli
773 Sergej Dovlatov. Il giornale invisibile

774 Tullio Kezich. Noi che abbiamo fatto La dolce vita
775 Mario Soldati. Corrispondenti di guerra
776 Maj Sjöwall, Per Wahlöö. L'uomo che andò in fumo
777 Andrea Camilleri. Il sonaglio
778 Michele Perriera. I nostri tempi
779 Alberto Vigevani. Il battello per Kew
780 Alicia Giménez-Bartlett. Il silenzio dei chiostri
781 Angelo Morino. Quando internet non c'era
782 Augusto De Angelis. Il banchiere assassinato
783 Michel Maffesoli. Icone d'oggi
784 Mehmet Murat Somer. Scandaloso omicidio a Istanbul
785 Francesco Recami. Il ragazzo che leggeva Maigret
786 Bill James. Confessione
787 Roberto Bolaño. I detective selvaggi
788 Giorgio Scerbanenco. Nessuno è colpevole
789 Andrea Camilleri. La danza del gabbiano
790 Giuseppe Bonaviri. Notti sull'altura
791 Giuseppe Tornatore. Baarìa
792 Alicia Giménez-Bartlett. Una stanza tutta per gli altri
793 Furio Bordon. A gentile richiesta
794 Davide Camarrone. Questo è un uomo
795 Andrea Camilleri. La rizzagliata
796 Jacques Bonnet. I fantasmi delle biblioteche
797 Marek Edelman. C'era l'amore nel ghetto
798 Danilo Dolci. Banditi a Partinico
799 Vicki Baum. Grand Hotel
800
801 Anthony Trollope. Le ultime cronache del Barset
802 Arnoldo Foà. Autobiografia di un artista burbero
803 Herta Müller. Lo sguardo estraneo
804 Gianrico Carofiglio. Le perfezioni provvisorie
805 Gian Mauro Costa. Il libro di legno
806 Carlo Flamigni. Circostanze casuali
807 Maj Sjöwall, Per Wahlöö. L'uomo sul tetto
808 Herta Müller. Cristina e il suo doppio
809 Martin Suter. L'ultimo dei Weynfeldt
810 Andrea Camilleri. Il nipote del Negus
811 Teresa Solana. Scorciatoia per il paradiso
812 Francesco M. Cataluccio. Vado a vedere se di là è meglio
813 Allen S. Weiss. Baudelaire cerca gloria
814 Thornton Wilder. Idi di marzo
815 Esmahan Aykol. Hotel Bosforo
816 Davide Enia. Italia-Brasile 3 a 2
817 Giorgio Scerbanenco. L'antro dei filosofi

818 Pietro Grossi. Martini
819 Budd Schulberg. Fronte del porto
820 Andrea Camilleri. La caccia al tesoro
821 Marco Malvaldi. Il re dei giochi
822 Francisco García Pavón. Le sorelle scarlatte
823 Colin Dexter. L'ultima corsa per Woodstock
824 Augusto De Angelis. Sei donne e un libro
825 Giuseppe Bonaviri. L'enorme tempo
826 Bill James. Club
827 Alicia Giménez-Bartlett. Vita sentimentale di un camionista
828 Maj Sjöwall, Per Wahlöö. La camera chiusa
829 Andrea Molesini. Non tutti i bastardi sono di Vienna
830 Michèle Lesbre. Nina per caso
831 Herta Müller. In trappola
832 Hans Fallada. Ognuno muore solo
833 Andrea Camilleri. Il sorriso di Angelica
834 Eugenio Baroncelli. Mosche d'inverno
835 Margaret Doody. Aristotele e i delitti d'Egitto
836 Sergej Dovlatov. La filiale
837 Anthony Trollope. La vita oggi
838 Martin Suter. Com'è piccolo il mondo!
839 Marco Malvaldi. Odore di chiuso
840 Giorgio Scerbanenco. Il cane che parla
841 Festa per Elsa
842 Paul Léautaud. Amori
843 Claudio Coletta. Viale del Policlinico
844 Luigi Pirandello. Racconti per una sera a teatro
845 Andrea Camilleri. Gran Circo Taddei e altre storie di Vigàta
846 Paolo Di Stefano. La catastròfa. Marcinelle 8 agosto 1956
847 Carlo Flamigni. Senso comune
848 Antonio Tabucchi. Racconti con figure
849 Esmahan Aykol. Appartamento a Istanbul
850 Francesco M. Cataluccio. Chernobyl
851 Colin Dexter. Al momento della scomparsa la ragazza indossava
852 Simonetta Agnello Hornby. Un filo d'olio
853 Lawrence Block. L'Ottavo Passo
854 Carlos María Domínguez. La casa di carta
855 Luciano Canfora. La meravigliosa storia del falso Artemidoro
856 Ben Pastor. Il Signore delle cento ossa
857 Francesco Recami. La casa di ringhiera
858 Andrea Camilleri. Il gioco degli specchi
859 Giorgio Scerbanenco. Lo scandalo dell'osservatorio astronomico
860 Carla Melazzini. Insegnare al principe di Danimarca
861 Bill James. Rose, rose

862 Roberto Bolaño, A. G. Porta. Consigli di un discepolo di Jim Morrison a un fanatico di Joyce
863 Stefano Benni. La traccia dell'angelo
864 Martin Suter. Allmen e le libellule
865 Giorgio Scerbanenco. Nebbia sul Naviglio e altri racconti gialli e neri
866 Danilo Dolci. Processo all'articolo 4
867 Maj Sjöwall, Per Wahlöö. Terroristi
868 Ricardo Romero. La sindrome di Rasputin
869 Alicia Giménez-Bartlett. Giorni d'amore e inganno
870 Andrea Camilleri. La setta degli angeli
871 Guglielmo Petroni. Il nome delle parole
872 Giorgio Fontana. Per legge superiore
873 Anthony Trollope. Lady Anna
874 Gian Mauro Costa, Carlo Flamigni, Alicia Giménez-Bartlett, Marco Malvaldi, Ben Pastor, Santo Piazzese, Francesco Recami. Un Natale in giallo
875 Marco Malvaldi. La carta più alta
876 Franz Zeise. L'Armada
877 Colin Dexter. Il mondo silenzioso di Nicholas Quinn
878 Salvatore Silvano Nigro. Il Principe fulvo
879 Ben Pastor. Lumen
880 Dante Troisi. Diario di un giudice
881 Ginevra Bompiani. La stazione termale
882 Andrea Camilleri. La Regina di Pomerania e altre storie di Vigàta
883 Tom Stoppard. La sponda dell'utopia
884 Bill James. Il detective è morto
885 Margaret Doody. Aristotele e la favola dei due corvi bianchi
886 Hans Fallada. Nel mio paese straniero
887 Esmahan Aykol. Divorzio alla turca
888 Angelo Morino. Il film della sua vita
889 Eugenio Baroncelli. Falene. 237 vite quasi perfette
890 Francesco Recami. Gli scheletri nell'armadio
891 Teresa Solana. Sette casi di sangue e una storia d'amore
892 Daria Galateria. Scritti galeotti
893 Andrea Camilleri. Una lama di luce
894 Martin Suter. Allmen e il diamante rosa
895 Carlo Flamigni. Giallo uovo
896 Maj Sjöwall, Per Wahlöö. Il milionario
897 Gian Mauro Costa. Festa di piazza
898 Gianni Bonina. I sette giorni di Allah
899 Carlo María Domínguez. La costa cieca
900
901 Colin Dexter. Niente vacanze per l'ispettore Morse
902 Francesco M. Cataluccio. L'ambaradan delle quisquiglie

903 Giuseppe Barbera. Conca d'oro
904 Andrea Camilleri. Una voce di notte
905 Giuseppe Scaraffia. I piaceri dei grandi
906 Sergio Valzania. La Bolla d'oro
907 Héctor Abad Faciolince. Trattato di culinaria per donne tristi
908 Mario Giorgianni. La forma della sorte
909 Marco Malvaldi. Milioni di milioni
910 Bill James. Il mattatore
911 Esmahan Aykol, Andrea Camilleri, Gian Mauro Costa, Marco Malvaldi, Antonio Manzini, Francesco Recami. Capodanno in giallo
912 Alicia Giménez-Bartlett. Gli onori di casa
913 Giuseppe Tornatore. La migliore offerta
914 Vincenzo Consolo. Esercizi di cronaca
915 Stanisław Lem. Solaris
916 Antonio Manzini. Pista nera
917 Xiao Bai. Intrigo a Shanghai
918 Ben Pastor. Il cielo di stagno
919 Andrea Camilleri. La rivoluzione della luna
920 Colin Dexter. L'ispettore Morse e le morti di Jericho
921 Paolo Di Stefano. Giallo d'Avola
922 Francesco M. Cataluccio. La memoria degli Uffizi
923 Alan Bradley. Aringhe rosse senza mostarda
924 Davide Enia. maggio '43
925 Andrea Molesini. La primavera del lupo
926 Eugenio Baroncelli. Pagine bianche. 55 libri che non ho scritto
927 Roberto Mazzucco. I sicari di Trastevere
928 Ignazio Buttitta. La peddi nova
929 Andrea Camilleri. Un covo di vipere
930 Lawrence Block. Un'altra notte a Brooklyn
931 Francesco Recami. Il segreto di Angela
932 Andrea Camilleri, Gian Mauro Costa, Alicia Giménez-Bartlett, Marco Malvaldi, Antonio Manzini, Francesco Recami. Ferragosto in giallo
933 Alicia Giménez-Bartlett. Segreta Penelope
934 Bill James. Tip Top
935 Davide Camarrone. L'ultima indagine del Commissario
936 Storie della Resistenza
937 John Glassco. Memorie di Montparnasse
938 Marco Malvaldi. Argento vivo
939 Andrea Camilleri. La banda Sacco
940 Ben Pastor. Luna bugiarda
941 Santo Piazzese. Blues di mezz'autunno
942 Alan Bradley. Il Natale di Flavia de Luce
943 Margaret Doody. Aristotele nel regno di Alessandro

944 Maurizio de Giovanni, Alicia Giménez-Bartlett, Bill James, Marco Malvaldi, Antonio Manzini, Francesco Recami. Regalo di Natale
945 Anthony Trollope. Orley Farm
946 Adriano Sofri. Machiavelli, Tupac e la Principessa
947 Antonio Manzini. La costola di Adamo
948 Lorenza Mazzetti. Diario londinese
949 Gian Mauro Costa, Alicia Giménez-Bartlett, Marco Malvaldi, Antonio Manzini, Francesco Recami. Carnevale in giallo
950 Marco Steiner. Il corvo di pietra
951 Colin Dexter. Il mistero del terzo miglio
952 Jennifer Worth. Chiamate la levatrice
953 Andrea Camilleri. Inseguendo un'ombra
954 Nicola Fantini, Laura Pariani. Nostra Signora degli scorpioni
955 Davide Camarrone. Lampaduza
956 José Roman. Chez Maxim's. Ricordi di un fattorino
957 Luciano Canfora. 1914
958 Alessandro Robecchi. Questa non è una canzone d'amore
959 Gian Mauro Costa. L'ultima scommessa
960 Giorgio Fontana. Morte di un uomo felice
961 Andrea Molesini. Presagio
962 La partita di pallone. Storie di calcio
963 Andrea Camilleri. La piramide di fango
964 Beda Romano. Il ragazzo di Erfurt
965 Anthony Trollope. Il Primo Ministro
966 Francesco Recami. Il caso Kakoiannis-Sforza
967 Alan Bradley. A spasso tra le tombe
968 Claudio Coletta. Amstel blues
969 Alicia Giménez-Bartlett, Marco Malvaldi, Antonio Manzini, Francesco Recami, Alessandro Robecchi, Gaetano Savatteri. Vacanze in giallo
970 Carlo Flamigni. La compagnia di Ramazzotto
971 Alicia Giménez-Bartlett. Dove nessuno ti troverà
972 Colin Dexter. Il segreto della camera 3
973 Adriano Sofri. Reagì Mauro Rostagno sorridendo
974 Augusto De Angelis. Il canotto insanguinato
975 Esmahan Aykol. Tango a Istanbul
976 Josefina Aldecoa. Storia di una maestra
977 Marco Malvaldi. Il telefono senza fili
978 Franco Lorenzoni. I bambini pensano grande
979 Eugenio Baroncelli. Gli incantevoli scarti. Cento romanzi di cento parole
980 Andrea Camilleri. Morte in mare aperto e altre indagini del giovane Montalbano
981 Ben Pastor. La strada per Itaca

982 Esmahan Aykol, Alan Bradley, Gian Mauro Costa, Maurizio de Giovanni, Nicola Fantini e Laura Pariani, Alicia Giménez-Bartlett, Francesco Recami. La scuola in giallo
983 Antonio Manzini. Non è stagione
984 Antoine de Saint-Exupéry. Il Piccolo Principe
985 Martin Suter. Allmen e le dalie
986 Piero Violante. Swinging Palermo
987 Marco Balzano, Francesco M. Cataluccio, Neige De Benedetti, Paolo Di Stefano, Giorgio Fontana, Helena Janeczek. Milano
988 Colin Dexter. La fanciulla è morta
989 Manuel Vázquez Montalbán. Galíndez
990 Federico Maria Sardelli. L'affare Vivaldi
991 Alessandro Robecchi. Dove sei stanotte
992 Nicola Fantini e Laura Pariani, Marco Malvaldi, Dominique Manotti, Antonio Manzini, Francesco Recami, Gaetano Savatteri. La crisi in giallo
993 Jennifer. Worth. Tra le vite di Londra
994 Hai voluto la bicicletta. Il piacere della fatica
995 Alan Bradley. Un segreto per Flavia de Luce
996 Giampaolo Simi. Cosa resta di noi
997 Alessandro Barbero. Il divano di Istanbul
998 Scott Spencer. Un amore senza fine
999 Antonio Tabucchi. La nostalgia del possibile
1000 La memoria di Elvira
1001 Andrea Camilleri. La giostra degli scambi
1002 Enrico Deaglio. Storia vera e terribile tra Sicilia e America
1003 Francesco Recami. L'uomo con la valigia
1004 Fabio Stassi. Fumisteria
1005 Alicia Giménez-Bartlett, Marco Malvaldi, Antonio Manzini, Santo Piazzese, Francesco Recami, Gaetano Savatteri. Turisti in giallo
1006 Bill James. Un taglio radicale
1007 Alexander Langer. Il viaggiatore leggero. Scritti 1961-1995
1008 Antonio Manzini. Era di maggio
1009 Alicia Giménez-Bartlett. Sei casi per Petra Delicado
1010 Ben Pastor. Kaputt Mundi
1011 Nino Vetri. Il Michelangelo